DU MÊME AUTEUR

MALLARMÉ, essai (*Hatier,* 1974)

LA MÉMOIRE BRÛLÉE, roman (*Le Seuil,* 1979)

LALIBELA OU LA MORT NOMADE, roman (*Ramsay,* 1981)

L'HEURE DES ADIEUX, roman (*Le Seuil,* 1985)

LE PASSAGE DES PRINCES, roman (*Ramsay,* 1988)

LES QUARTIERS D'HIVER, roman (*Gallimard,* 1990), Folio n° 2428

LE SILENCE DES PASSIONS, roman (*Gallimard,* 1994), Folio n° 2749

MADAME ARNOUL, récit (*Gallimard,* 1995), Folio n° 2925

LONG SÉJOUR, récit (*Gallimard,* 1998), Folio n° 3329

CORSE (en collaboration avec Raymond Depardon, *Le Seuil,* 2000)

RENÉE CAMPS, récit (*Gallimard,* 2001), Folio n° 3684

TOUT EST PASSÉ SI VITE

JEAN-NOËL PANCRAZI

TOUT EST PASSÉ SI VITE

roman

GALLIMARD

À Isabelle

« C'est mon été à moi », disait Élisabeth lorsqu'elle revenait du pavillon des rayons. Alors, profitant de ce qu'elle appelait la « bonne semaine », de ces quelques jours de rémission qui lui donnaient l'illusion d'être, à nouveau, maîtresse d'elle-même et du temps (oubliant dans l'armoire sa petite valise rouge clair — celle des courts trajets, des allers-retours avec la clinique du Belvédère), elle s'installait devant la table à tréteaux, réajustait les anciens feuillets pliés en deux, alignés sans être numérotés, comme une succession de lettres d'amour, sans date, dont elle tenait à maintenir la chronologie invisible, et qu'elle aimait étoiler au stylo noir, disant avec une sorte de fierté mélancolique : « Je suis de la vieille école ! » Après avoir retiré sa bague de cornaline, devenue trop large, comme toutes celles déjà enfermées dans le boîtier triangulaire devant elle, et qu'elle ne songeait même plus à apporter dans l'atelier du Temple pour qu'on les remît à la taille de semaine en semaine, elle se mettait à écrire, heureuse de retrouver le contact, presque frais, de la page sous sa main qui était restée si belle comme si l'écriture — par reconnaissance pour ce qu'elle lui avait déjà donné et sacrifié de sa vie — veillait à maintenir intacte cette part de son corps, à ce qu'elle ne fût pas envahie par la douleur qui était cantonnée au-delà du poignet où se lisait l'empreinte de son bracelet d'hôpital.

Elle ne relevait la tête des pages du manuscrit, qu'elle gardait secret, que pour caresser l'horloge de table qui était restée à l'heure d'été ; la petite pyramide de marbre brun veiné de rose et de gris, que nous avions choisie ensemble, une veille de Noël, dans une boutique du passage des Panoramas ; l'agenda de la Pléiade, où elle notait au crayon, tant elle les savait aléatoires, les rendez-vous et les dates des salons du livre d'automne, auxquels on continuait à l'inviter, sans connaître son état ; le carton d'invitation, périmé bien sûr, à un « cocktail intime » dans le salon Psyché du Ritz (où elle aurait pourtant rêvé d'aller) et celui d'une fête de rentrée au Divan du Monde ; l'image de la statue protectrice, adossée au socle de la lampe noire, que lui avait adressée Alain, le directeur de la Maison où elle venait travailler par intermittence, le jour de son installation rue du Delta, et où il lui disait combien il était heureux qu'elle ait retrouvé, après tant de nomadisme à travers Paris, le quartier qu'elle aimait. À mesure que le soir tombait, elle était envahie par le regret de laisser perdre la dernière heure de la lumière de septembre sur Paris, ressentait le désir de poser la tête sur, à défaut d'une épaule, le galbe de bois tiède et gris d'un banc du square d'Anvers. Alors elle se levait, se préparait, mettait un peu de fard bleuté sur ses paupières et, une fois qu'elle était assurée du silence de l'immeuble, presque certaine de ne rencontrer personne à qui elle aurait dû, même furtivement, expliquer ses absences, commenter son état (de plus en plus discrète sur ses propres souffrances comme si de ne pas les révéler, de ne pas les raconter, lui permettait de les oublier), elle descendait l'escalier, ouvrait la boîte aux lettres, s'étonnait toujours de l'étrange redistribution des amitiés et des amours qu'amenait la maladie. Elle découvrait parfois une carte postale qui avait mis plusieurs semaines à arriver, qu'on lui avait envoyée de Corfou, de Malte ou d'une autre île de la Méditerranée, avait un sourire de gratitude moqueuse et un peu triste quand on ajoutait, en postscriptum, avec une générosité étourdie : « Viens nous rejoindre. » Elle aimait la délicatesse de ceux qui tamisaient leur plaisir, leur exaltation estivale, avaient évité d'employer des adjectifs trop éclatants, des expressions trop euphoriques pour parler de leurs vacances afin de ne pas aggraver la conscience de sa solitude et ne pas lui serrer le cœur du regret des voyages qu'elle ne ferait plus avec eux. Elle était aveuglée par le soleil, même déclinant, s'arrêtait, pour en

13

voir le programme, devant le Vox — le vieux cinéma de quartier, dont elle était contente qu'on ne l'ait pas encore fermé, grâce, peut-être, à la pétition qu'on lui avait demandé de conduire (usant, pour la première fois, de cette notoriété qui la mettait pourtant mal à l'aise quand on l'évoquait devant elle, comme si elle avait peur de devenir prisonnière d'une image trop « officielle », d'être amenée à se renier elle-même et à perdre de vue cette animalité inquiète qui était le fond de sa vie et de son écriture), ce cinéma où, lorsqu'elle allait, au début de sa maladie, assister à la première séance de l'après-midi, elle se plaçait, même s'il était quasiment désert, au début d'une rangée pour n'ennuyer personne au cas où une suffocation, un haut-le-cœur, l'aurait soudain obligée à sortir. Elle longeait les petits hôtels du quartier, à une étoile, où elle avait prévu de se réfugier, chaque fois que s'étaient ouverts des chantiers de démolition autour de chez elle, pour se sentir un peu protégée aussi, entourée lorsqu'elle avait très peur, sentait se noyer ses derniers repères ; les vitrines de magasins de robes de mariée, si désuètes avec leurs volants de dentelle qu'elles semblaient attendre pour des noces de rattrapage, des amours bradées de la dernière heure ; les boutiques endormies de fourreurs, comme réservées à des caprices de femmes d'administrateur qui, sous les Tropiques, en hiver, ne voudraient pas être prises au dépourvu, s'il neigeait un matin : c'était à Défi Fourrures qu'elle avait acheté, il y avait plus de vingt ans, après la parution de son premier roman, une étole de renard gris, pour se donner une touche de luxe, dans son premier cocktail littéraire, un soir de décembre, dans les salons de l'hôtel Lutétia, autour duquel elle avait longtemps rôdé, avec son allure de star de quatre sous en quête d'un rôle de nuit, là-bas, du côté de Sèvres-Babylone. Elle entrait parfois dans la salle de jeu, qui n'avait pas changé depuis les années soixante, à la fin de la rue d'Hauteville, errait parmi les clignotements des billards électriques, pâle, frêle, et comme tendue de révolte nostalgique sous sa perruque de cheveux très courts qui lui donnait l'allure d'une Pascale Petit vieillie, recherchant, dans l'ombre, les silhouettes des derniers tricheurs. Lorsqu'elle passait devant l'étal des livres en solde de chez Gibert Jeune, elle tombait, de temps en temps, sur l'un de ses romans défraîchis, le feuilletait vaguement, et ce n'était pas de l'histoire, du récit ou des personnages, dont elle se souvenait, mais du lieu, de l'appartement, de la chambre d'hôtel ou de la villa prêtée, et de la saison où elle l'avait écrit, de l'homme de rencontre, plus tendre que les autres, dont lui revenait avant tout — l'emportant sur la mémoire de sa peau, de ses lèvres ou de ses gestes — le diminutif de douceur qu'il inventait pour elle, le surnom enfantin qu'il lui soufflait en se penchant sur sa nuque et qui lui suffisait pour la rassurer, quelques minutes, sur sa vie, sa petite place dans Paris, la page qu'elle était en train d'écrire. Elle dépassait le Rex —

c'était sa première victoire —, L'Étoile de Pékin, les autres restaurants d'Extrême-Orient, appréhendait, aurait voulu éviter les zones plus sombres et désertes autour des banques déjà éteintes, avec leurs portes de marbre, leurs façades trop lisses auxquelles elle n'aurait pas pu accrocher la main, si elle avait eu mal à nouveau (se rappelant toujours, à ce moment-là, le vide des avenues égales et froides, sans grâce ni repos, de Berlin où, malgré sa première attaque de fièvre, elle s'était obstinée à marcher à la fin d'une journée de colloque, comme ivre de se prouver que ce n'était rien, que sa faiblesse s'expliquait par le climat, le rythme des sessions), était rassurée par l'odeur de bazar tiède du Carnaval des Affaires, les reflets d'un reste de pluie sur les amas de valises exposées devant, la série des robes en retrait, au tissu rudimentaire et aux larges imprimés de coopérative de pays de l'Est — pensait-elle ce soir, s'abandonnant désormais à ses impressions au lieu d'essayer de les retenir jusqu'à son retour, pour les noter ensuite —, les allées bleu et noir de Séphora, où elle n'entrait plus depuis longtemps pour ses crèmes de jour, les baumes pour ses cheveux dont, à l'époque, elle pouvait faire ce qu'elle voulait ; demeurait tout au bord des lumières des cafés où elle aurait pu s'arrêter si elle avait eu un vertige, apercevant surtout dans les terrasses pleines de monde — comme si on était un soir d'été, dans une ville de Riviera brumeuse et un peu grise — les femmes volubiles et presque nues,

16

qu'elle avait pris l'habitude de ne plus envier, se disant simplement qu'il était un peu tôt pour mourir. « Je fais mon *Cléo de cinq à sept* », se disait-elle, en souriant, marchant de-ci de-là, entre deux reflets, deux passants, mais jamais tout à fait en ligne droite, comme si elle était prise dans des rafales que personne ne voyait. Elle avançait si lentement sur le boulevard des Italiens qui lui paraissait si long jusqu'au ciel de l'Opéra, plus lumineux, toujours — comme s'il y avait sans cesse des essais d'éclairage de gala —, se rappelait qu'elle l'avait jadis parcouru à toute allure pour rejoindre parfois, en pleine nuit, au café de la Paix, l'homme qu'elle venait de connaître, qu'elle commençait à aimer, qu'elle se reprochait, en chemin, d'avoir sacrifié, qu'elle était peut-être en train de perdre, se disait-elle alors, en accélérant le pas à la hauteur de la Brasserie alsacienne ou de la librairie Del Duca, à cause de ces quelques soirées qu'elle aurait dû passer à ses côtés pour consolider leur relation et qu'elle avait préféré garder pour elle et son travail (n'osant d'ailleurs pas avouer qu'elle était restée chez elle pour écrire comme si elle craignait qu'on ne l'accusât de frivolité ou d'égoïsme immodéré), cet homme qu'elle avait peut-être effrayé — elle s'en rendait compte maintenant qu'elle n'aurait même pas osé proposer son corps et ses seins à demi brûlés sous le chemisier orange passé, couleur de karmas éteints, à un inconnu des boulevards pour une étreinte rapide dans l'obscurité d'un porche, d'une arrière-cour ou le fond des coulisses d'un dancing d'après-midi — par la candeur essoufflée et inquiète avec laquelle elle s'abattait dans ses bras, l'aveu trop précipité de sa fatigue et de sa peur de ne pas être aimée, et par la violence d'un désir qui, décuplé par les heures d'ascèse et d'immobilité nerveuse, l'amenait à prendre, avec une sorte d'audace panique, le désir affolé de jouir de chaque instant, l'initiative des baisers et des caresses dont elle ne voulait jamais voir la fin.

Elle paraissait si heureuse, aujourd'hui, d'avoir réussi à atteindre la Maison, au bout de ce qui était sans doute sa dernière promenade à pied dans Paris. Je la voyais, depuis la fenêtre de mon bureau, arrêtée, presque recueillie, comme devant une chapelle votive de bord de route, devant le panneau de bois au bleu éteint où étaient alignés, sous la voûte, les huit livres, au bleu plus sombre, de la rentrée de septembre, sur lesquels — oubliant le sien — elle avait « travaillé » avant l'été, qu'elle avait contribué à peaufiner avec leurs auteurs et qui voyageraient sans elle pendant l'hiver. Enveloppée de son châle andalou, aux grandes fleurs jaunes et noires, elle avait, en se déplaçant dans l'ombre des grilles, l'allure d'une *aficionada*, qui, longtemps après la fin d'une corrida, venait rechercher autour d'arènes désertes un dernier halo de clameurs, de fête et de sang. Dans le silence de l'impasse, aussi calme qu'une allée de province où elle avançait maintenant, elle avait le cœur serré, soudain, par la nostalgie d'une rue d'Aubigny, son village natal, où, se disait-elle, elle aurait pu se retirer, se reposer, s'éteindre tranquillement, là-bas, dans la maison familiale en écoutant de sa chambre, à l'étage, la rumeur de l'affluent de la Nère qui s'écoulait au fond du jardin, à se laisser envahir par l'odeur de ronces et de meules oubliées sous la pluie, de métal humide et comme sucré de nacelles d'une lointaine fête foraine, de roses et de sol mouillé d'ateliers voisins, de perrons, de clochers et de toiles de comices mouillées, de cire de cierges éteints après les baptêmes d'après-midi, de vieil amour enseveli dans les étangs et les bruyères de Sologne, et n'ayant d'autres pas, vers elle, que ceux, dans l'escalier, de Marie-Rose qui viendrait lui apporter *L'Écho du Centre*, où elle adorait lire les faits divers de la région, les récits des réceptions dans les salons des Fermaillés d'Or et des joutes nautiques, le dimanche, sur les eaux du domaine de la Verrerie. Et puis elle se disait qu'elle aurait été achevée par les plaintes et la compassion théâtrale de sa mère, sa manière claironnante, impitoyable et tragique d'accueillir les voisines, en s'exclamant, sur le seuil de la salle à manger : « Ah ! si vous saviez... ma pauvre Élisabeth... Elle ne va pas bien... Elle n'a même plus la force d'écrire », avant de leur demander, comme si elle anticipait une veillée funèbre, de parler bas, de tamiser leur voix, afin de ne pas la déranger ; mais elle n'hésiterait pas, une fois qu'elles seraient parties, à ouvrir brusquement la porte de sa chambre pour s'assurer qu'elle ne s'y était pas évanouie de douleur et de solitude.

Elle peinait un peu à pousser la lourde porte de bois et de bronze de la Maison dont la vitre semblait, à chaque seconde, sur le point d'éclater en une pluie de verre : elle aimait, depuis le hall, écouter le léger ferraillement de l'échelle qu'on déplaçait et qu'on accrochait à un autre niveau du rempart de livres, le roulement du chariot qui arrivait du fond de l'entre-pôt, le déclic de la tirette du guichet de la guérite où le magasinier tamponnait les bons que lui présen-taient les coursiers avec la gravité martiale, la séche-resse soupçonneuse et définitive d'un garde-frontière qui délivrait des sauf-conduits dont dépendait une vie entière.

Elle allait vers Brigitte qui, là-bas, dans la pénom-bre du magasin, tenait les feuilles des entrées et des sorties et qui la touchait toujours par son sourire de désenchantement tendre, ses yeux creusés par les heures supplémentaires qu'elle s'épuisait à multiplier pour soutenir les hommes en bout de course qu'elle hébergeait régulièrement dans son petit deux-pièces de Montrouge et que, à force de pitié et d'entraide obstinées, elle finissait par aimer. « C'est ma spécia-lité », disait-elle avec une résignation à peine amère, le dernier en date ayant perdu son emploi de ven-deur au relais H de la gare Saint-Lazare ; mais il différait, avec sa fierté indolente d'éternel réfractaire, le moment de rechercher de petits boulots, même intérimaires, pour apporter un peu d'« eau au moulin », comme elle le lui demandait sur un ton empreint d'une vaillance un peu lasse, et qu'elle n'arrivait pas à rendre impérieux, car elle savait qu'elle était pareille à lui, qu'elle n'avait jamais, par défiance envers elle-même, cherché à gravir les échelons, dont elle s'était persuadée qu'elle ne les méritait pas, disant toujours à Élisabeth — qui l'encourageait pourtant avec ce don d'empathie qu'elle avait envers ceux qu'elle jugeait plus démunis qu'elle, la volonté de partager ce qu'elle considérait comme des privilèges : « Je suis bien comme ça », d'une voix qu'elle aurait voulu neutre, mais qui tremblait du regret d'avoir laissé s'éteindre cette passion du cinéma qui avait illuminé sa jeunesse — quand elle animait un ciné-club du côté de la porte de Vanves — et qui revenait l'habiter lorsque, les semaines d'avant Noël, elle feuilletait dans son bureau, au bord des larmes, les albums de cinéma que la Maison publiait pour les fêtes et auxquels personne ne songeait à lui demander de participer.

Dès qu'elle l'apercevait, Claire, l'attachée de presse, descendait de la galerie du premier étage, venait lui prendre le bras, l'aidait à gravir la passerelle en silence, comme si elle était une passagère handicapée qu'on embarquait en priorité. Elle lui proposait, comme toujours, de venir la chercher rue du Delta pour passer une soirée ensemble dans une brasserie de la porte Dorée, où elle habitait. Élisabeth ne disait pas non, elle aurait voulu revoir la façade illuminée du musée des Arts d'Afrique et d'Océanie, dont le paysage d'atolls, de pirogues et de palmiers sculptés ramenait fugacement en elle le désir d'un dernier voyage à l'extrémité du monde où elle aurait pu s'effacer. Elle aimait s'attarder dans le petit bureau, dont Claire laissait toujours la porte ouverte pour accueillir les visiteurs qui s'égaraient parfois dans les galeries, ou ceux qui venaient très vite lui demander un bon pour prendre un livre au magasin. Ce soir, elle lui tendait presque machinalement les coupures d'articles qui continuaient à paraître dans des journaux ou des revues périphériques sur son roman sorti au printemps ; des comptes rendus de rencontres dans des librairies qu'elle avait choisies pour elle, dans les villes du Midi surtout, pour que, malgré la fatigue du début du traitement, elle profitât du soleil de mai, eût presque une impression de vacances entre deux débats, deux signatures, en s'asseyant aux terrasses, sur les galets tièdes ou dans les restaurants fleuris de bord de mer où elles dînaient tranquilles, silencieuses, sans plus aucun commentaire, dans les frissons de gaieté de début de saison. Puis elle lui montrait les principaux articles écrits, depuis le premier septembre, sur les auteurs dont elle s'était occupée — surtout sur ceux qu'elle avait découverts, parfois su imposer elle-même au comité — et qui, elle le savait, lui feraient autant plaisir que s'ils lui étaient consacrés ; caressait au passage — en riant presque, feignant de ne pas en être touchée — le bouquet de roses jaunes que venait de lui faire parvenir Philippe, l'un des jeunes écrivains de la maison : les fleurs étaient pour toutes les deux, inventait-elle, elle avait perdu la carte de visite où il les remerciait ensemble ; avant de se tourner, préoccupée, vers le tableau de janvier, les prévisions de sorties de l'autre printemps déjà, suivies parfois de points d'interrogation au feutre bleu. Elle essayait d'écarter sur la table, en laissant glisser sa main pour qu'elle ne les vît pas, les billets de train de l'équipe pour le prochain salon du livre de Nancy ; mais cela suffisait pour ranimer chez Élisabeth le goût de la vitre contre laquelle, prête dès six heures du matin, elle appuyait son visage, en attendant, les jours de départ, la petite lumière du taxi qui arrivait dans la nuit du bout de la rue du Delta, les traces de cendres de la cigarette qu'elle venait de lancer sous les roues de la voiture et que Claire retirait, dès qu'elle montait, sur le revers de son tailleur, son sac, sur la banquette, qu'elle entourait tout de suite de son bras, les confidences chuchotées à toute allure en traversant Paris, le café pris à la va-vite au comptoir de la gare, la brume de vacances inquiètes dans laquelle elles s'élançaient main dans la main, les appels des auteurs qui, de wagon en wagon, les invitaient à les rejoindre dans leur compartiment, l'écho de leurs rires de colonie fiévreuse, décalée, qui partait en automne. Claire feignait de ne pas entendre les ordres presque criés par Françoise, la nouvelle « chargée de la communication » pour la fête de tout à l'heure, qu'on lui avait demandé d'organiser et qui, depuis plusieurs semaines, dans une incessante promotion tournoyante d'elle-même, ne proclamait, du haut de sa galerie, de nouvelles méthodes, ne claironnait de nouvelles idées, plus modernes, plus efficaces, plus « top » (ce mot qu'elle répétait de plus en plus fort comme si elle reprenait, dans une gradation d'enthousiasme, la formule choc d'une séquence publicitaire) que pour mieux périmer les siennes et achever de la reléguer dans l'ombre de ce petit bureau où, depuis des années, elle travaillait sans tapage. Elle regardait la photo encadrée de sa mère, toute menue dans le fauteuil jaune passé de la salle à manger de sa maison de Draguignan et qu'elle descendait voir presque chaque vendredi depuis qu'elle était malade — ce déplacement supplémentaire étant la cause, suggérait-elle souvent, de cette fatigue qui abîmait ses traits, mais elle était plutôt due à la peur de l'âge, de l'exclusion, d'être jugée « au bout du rouleau », à la solitude surtout. Élisabeth savait qu'elle attendait l'heure où une fois la Maison déserte elle téléphonerait à l'internationale, en joignant tour à tour (elle connaissait par cœur la liste des décalages horaires) tous ses amis à travers le monde, se grisant de ce cosmopolitisme amoureux et oubliant, dans le tourbillon des voix lointaines qui avaient le mérite de la distance et l'avantage de la laisser continuer à rêver sur des visages dont elle aurait été, à la longue, incapable de définir les traits, que l'homme qu'elle aimait avait disparu : on l'avait seulement aperçu entrant, une nuit d'août, dans un club du cap d'Agde. Depuis, elle s'attardait, de plus en plus souvent, avant de rentrer, à L'Entracte, une pile d'épreuves qu'elle se promettait de lire pendant la nuit, posée sur la table, à côté d'elle. Assise sur la banquette du fond, dans la pénombre bleutée de compartiment de wagon de nuit, elle remontait imperceptiblement le col de son pull-over noir comme si commençait à refluer la chaleur des solidarités éphémères, des complicités, même factices, de la journée, vers ses lèvres trop rouges, trop peintes, ses yeux mi-clos sur une rêverie jouée et destinée surtout à donner le change au cas où quelqu'un de la Maison viendrait à passer devant L'Entracte. Elle se déplaçait sur la banquette pour se rapprocher d'une table où des étrangers étaient assis, à l'affût de la traduction d'un mot qui leur échappait sur la carte, d'un rire, d'une plaisanterie, dont elle aurait pu devenir la complice. Quand les lampes rouges s'éteignaient, elle se levait, après avoir enchaîné les verres, courait pour attraper le dernier autobus vers la porte Dorée, en serrant les épreuves sur son cœur, comme si elles étaient des enfants sans regard et fourmillant de pleurs secrets, dont elle imaginait, un instant, qu'ils

26

étaient les siens et sur lesquels on lui aurait demandé de veiller jusqu'au matin. Élisabeth lui pardonnait aujourd'hui le soir où, après qu'elle lui avait révélé sa maladie (très vite, au bout de quelques minutes dans le bureau presque éteint alors qu'elle s'était pourtant promis, en revenant du laboratoire de la rue de Naples où venaient de lui être confirmés les mauvais résultats, de ne rien dire à personne, de garder tout secret, d'honorer ses rendez-vous de fin d'après-midi à la Maison et de repartir comme si de rien n'était), elle avait aussitôt téléphoné, une bouteille de whisky à ses côtés, à travers Paris pour l'annoncer (croyant peut-être la protéger, empêcher qu'on ne lui fît désormais le moindre mal), veillant, dans cette ronde de tristesse qu'elle régentait, à étourdir chacun sous ses litanies alcoolisées, ses accents de pythie imbibée, à le chavirer, à le mener vers des larmes qu'elle ne parvenait pas à répandre elle-même, comme si l'alcool lui avait noyé le cœur — ces larmes dont elle était la spectatrice amère et presque envieuse, jusqu'à ce qu'elle s'endormît près du téléphone, épuisée par l'émotion qu'elle avait cherché à provoquer chez les autres et qui avait fini par la briser à son tour.

Elle emmenait Élisabeth vers le dernier étage — la cellule de verre, plutôt, aux vitres si pâles, si légères qu'on aurait dit un halo supplémentaire de neige, en hiver, ou un prolongement intérieur de la brume de soleil qui, en été, nappait la verrière — où travaillait Bernard, le « préparateur ». Elle le regardait, depuis le seuil, penché sur les textes qu'il aimait autant que s'il les avait écrits lui-même, récitant parfois, à voix très basse, avec une ferveur inquiète, certaines phrases pour en contrôler la cadence, s'assurant de la place d'une virgule, évaluant, modifiant le rythme des blancs, comme s'il cherchait la respiration à donner à sa propre vie. Quand il relevait la tête et la voyait enfin, il lui demandait quel caractère — le garamond ou le new baskerville — elle désirait pour son prochain livre ; il prononçait ce mot de « prochain » avec un tel calme machinal, une telle évidence souriante qu'ils en oubliaient de penser, tous les deux, que c'était le dernier. « Vous choisirez peut-être vous-même, cette fois... », lui disait-elle. Elle aurait tant aimé retrouver le moment où — comme s'il avait été le seul homme qui se fût occupé d'elle un jour — elle s'installait à ses côtés devant son manuscrit achevé, après qu'il avait vérifié sur un plan, carrefour après carrefour, rue après rue, l'itinéraire d'un de ses personnages qui marchait, la nuit, à travers Paris, jugeant parfois que ce détour, cet écart, non, ce n'était pas possible ; qu'il était allé rechercher, dans un répertoire de province, le nom d'un hôtel, même aujourd'hui disparu ; si elle ne s'était pas trompée sur la nature de ces fleurs, là, en cette saison, sur les berges d'un fleuve ; s'il y avait vraiment un train du soir qui s'arrêtait dans cette petite gare.

28

« Ne vous attardez pas... », lui disait-elle, presque en riant, avant qu'il ne baissât la tête, mais un peu trop vite, cette fois, comme pour éviter de pleurer, vers des épreuves étalées sur la table. Elle savait qu'il continuait à travailler avec une telle concentration qu'il en oubliait parfois que la nuit était, depuis longtemps, tombée. Le gardien du soir, confondant au loin le halo de la lampe avec l'un des reflets sur la verrière des lumières de Paris, croyait qu'il était déjà parti, éteignait, en bas, le circuit général avant de fermer à double tour la grande porte de la Maison. Il avait une exclamation de détresse étonnée quand il se rendait compte qu'il était prisonnier du noir absolu ; alors il parcourait les galeries à tâtons, se raccrochait aux poignées des portes vitrées, descendait les passerelles en manquant tomber à chaque marche, tel un voleur gauche, novice et désemparé qui accomplissait son premier fric-frac. Lorsque le gardien, qu'il avait enfin réussi à joindre au téléphone, arrivait précipitamment rue Auber, il continuait à s'indigner, à voix basse, de sa distraction, mais cessait de maugréer quand, de derrière la porte qu'il s'apprêtait à ouvrir, il le voyait, renversé sur la banquette, sous l'horloge aux vieilles aiguilles immobiles, tel un voyageur endormi sur un quai, qui, au cours d'une escale, aurait laissé passer l'heure d'un navire et aurait choisi inconsciemment de rester dans un pays qu'il aimait et ne se résignait pas à quitter.

C'était lui qui lui avait donné le courage d'entrer, la semaine dernière, dans le bureau du directeur financier dont elle distinguait à peine la silhouette retournée, au moment où elle passait ; elle avait à peine osé, d'abord muette de pudeur crispée et d'appréhension que sa requête fût vaine, lui demander (elle voulait simplement avoir, une fois au moins dans sa vie, l'impression d'être « au large », ne plus recevoir la moindre convocation de sa banque, pouvoir s'offrir maintenant sans compter des foulards, de très longs trajets en taxi) une « avance » — ce mot qu'elle avait fini par murmurer en gardant les yeux baissés pour ne pas lire sur son visage un mélange de gêne, de pitié retenue, de prévision soupçonneuse et de calcul précipité avant que, dans un élan d'altruisme théâtral, de générosité jouée qui lui permettrait de corriger, dans la Maison, sa réputation de rigueur avare et tatillonne, il ne se levât brusquement et ne s'exclamât, ébloui de sa propre vertu qu'il se donnait en spectacle : « On va accélérer tout cela !... »

Elle s'arrêtait devant la porte du bureau d'Alain, l'héritier de la Maison, fermée depuis quelques jours, continuait, penchée, la main sur la poignée, à ressentir, à partager toutes les humiliations qu'il avait subies, mois après mois, de la part du nouveau directeur nommé par le Groupe auquel il avait dû céder une bonne part du capital et qui l'avait harcelé jusqu'à ce qu'il partît, ce soir, de lui-même. Elle revoyait l'après-midi de juin où — alors que l'ombre de la pluie descendait sur la verrière de la salle de conférences — Jean-Paul Vernes lui avait refusé, sous prétexte que cela n'intéressait que des revenants du siècle dernier, des amateurs d'antiquités et de rococo éditorial, la publication de cet album sur l'histoire de la Maison, auquel il pensait pourtant depuis longtemps ; elle avait rapproché insensiblement sa chaise, lui avait murmuré, même si elle venait d'apprendre les mauvais résultats de ses dernières analyses, qu'elle serait toujours à ses côtés. Plus tard, dans son bureau, alors qu'elle s'étonnait de ne pas le voir se rebeller davantage, accepter sans frémir ce coup de grâce (Claire se tenait en retrait, le visage pâli, tendu par un héroïsme d'agent de liaison, mais satisfaite, au fond, d'entrer dans un temps de résistance, en plaquant sur sa poitrine, comme un tract qu'on viendrait d'imprimer en secret, la pétition de ceux qui l'aimaient dans la Maison et ne se résignaient pas à le voir évincé), il lui dirait avec un sourire tranquille, tourné vers les ateliers qui s'éteignaient dans l'impasse : « Il est tard, Élisabeth, il faut laisser faire la vie... » Peut-être n'était-il pas encore rentré de l'étranger où il multipliait les déplacements, tirant un dernier orgueil de son rôle d'émissaire indispensable, un dernier bonheur de la déférence presque affectueuse qu'on lui accordait toujours, même si on savait qu'il

31

était en train de perdre les derniers attributs de son pouvoir, dans les capitales d'Europe. Il aimait l'appeler, d'Allemagne surtout, pour lui annoncer, avec une fierté précipitée, comme il l'avait fait, la semaine dernière, du siège de Klett-Cotta, à Stuttgart, que son avant-dernier livre serait bientôt traduit, précisant déjà, comme s'il tenait à lui inventer un avenir, la date de parution, le moment de la tournée générale qu'elle devrait accomplir dans les librairies et les instituts pour accompagner la sortie de son livre, choisissant de préférence les villes — Hambourg, Leipzig, Brême — qu'elle rêvait, depuis longtemps, de connaître. Et elle lui répondait, même si ces mois, ces jours, lui paraissaient si lointains, impossibles à atteindre : « Oui, j'irai » pour ne pas altérer le plaisir de son dévouement, lui laisser la certitude que c'était là la meilleure manière de l'aider.

La jalousie s'en allait, cette jalousie qui la traversait lorsqu'elle croyait que, là-bas, en terre étrangère, il ne respectait pas toujours ce « jamais dans le métier » dont il s'était fait une règle à Paris, quand elle l'imaginait raccompagner l'une des femmes avec lesquelles il avait conclu un contrat dans la journée ; qu'ils montaient, en riant des ruses, des stratégies plus ou moins enjôleuses qu'ils avaient utilisées pour se dominer, emporter la mise, dans la chambre de l'un ou de l'autre ; avant même leur étreinte qui n'était, au fond (pensait-elle, avant, pour se rassurer) que le prolongement sensuel de leur connivence professionnelle, il devait — avec cette délicatesse supérieure, ce respect et cette intuition sensuelle qu'aucun autre homme, sans doute, ne possédait — deviner, d'après leur manière plus ou moins rapide d'éteindre, plus ou moins joueuse de dégrafer leur chemisier, leur façon de se glisser dans les draps de face ou de dos, d'offrir leurs lèvres en levant le visage ou en détournant un peu leur front sur le côté, dans une infime résistance mentale, ce que leur corps recelait de vieilles timidités, d'audaces spontanées ou acquises, de bonheurs déjà vécus, espérés ou perdus.

Elle souriait aujourd'hui de ce « jamais dans le métier » (mais peut-être ressentait-il maintenant, lui-même, de son côté, l'absurdité de cette maxime qui, dans son élégance butée, n'avait fait que creuser l'écart, éloigner davantage ceux qu'il aurait pu aimer) qu'il était sur le point d'enfreindre quand, au cours de leurs déplacements communs, il lui frôlait la main à l'arrière des autobus qui ramenaient la troupe éméchée des auteurs, ces grands éclopés fraternels qui se donnaient, en chantant, une illusion de vacances et de jeunesse, des dîners de fin de salon du livre, quand, descendant après eux et partant en sens inverse, ils traversaient, seuls, les places désertes, s'arrêtaient, dans le silence des arcades, devant une librairie à peine éclairée où elle était heureuse d'apercevoir, la première, un des livres bleus de la Maison, devant la vitrine d'une boutique de vêtements où, comme étonnés de leur intimité soudaine, de l'intuition de leurs goûts réciproques, ils choisissaient un costume pour lui, une robe pour elle ; dans l'ombre des passages ou des rues plus lointaines où, comme s'ils avaient toujours voyagé ensemble, ils levaient les yeux au même moment, avaient les mêmes mots éblouis devant la beauté d'une corniche, d'un balcon, d'un blason de plâtre ou une part de ciel plus étoilée ; dans la nuit des escaliers qui descendaient vers les terrasses des jardins excentrés où il ajustait le châle sur ses épaules parce qu'il faisait plus froid, que c'était presque la campagne déjà ; sur la banquette de la villa-cabaret de l'île, au milieu de la rivière, où ils prenaient un dernier verre, au bord de la piste éteinte, comme deux noceurs secrets de milieu de semaine, où, se penchant vers elle, il précédait ce moment où, suppliant que la musique revînt, elle était reprise par ses tourments, la fatigue de l'éternel balancement entre la griserie des podiums et le besoin de retraite, le désir de s'effacer et la nécessité de paraître, le bonheur gêné des louanges qu'on lui avait adressées sous le chapiteau pour le livre déjà ancien, qu'elle aurait voulu oublier, presque renier, et le découragement affolé devant celui qu'elle commençait à peine à écrire, qui, croyait-elle, lui échappait sans cesse, dans lequel, se reprochait-elle, elle ne mettait pas assez de vérité et de cœur ; quand, à l'hôtel, ensuite, ils se tenaient, avec une pudeur irréelle, sur le seuil de leurs chambres respectives, de chaque côté du couloir où on entendait l'écho du roulement des premiers chariots à bagages qu'on s'apprêtait à descendre, laissaient, sans rien dire, le vieil amour circuler entre eux — tel un hôte perdu dans sa propre fête, qui ne savait comment réunir, entraîner l'un vers l'autre ses deux derniers invités — jusqu'à ce qu'elle ouvrît, avec une brusquerie désemparée, la porte de sa chambre, ne s'approchât de la table où, à côté du bouquet ou du cadeau souvenir — le vase ou la boîte de porcelaine offerts par la municipalité —, elle écrirait très vite, sur le papier de l'hôtel, quelques phrases dont elle savait elle-même qu'elles n'étaient qu'une vaine parade pour les mots d'amour qu'elle n'avait pas entendus, et qui n'auraient jamais de suite.

Quand, le dimanche soir, en général, après avoir dîné ensemble à la Frégate, il la raccompagnait en taxi, elle se disait en traversant la Seine qu'elle aurait pu former avec lui un couple accordé, serein, qui n'aurait surpris personne, connaître le calme des retours vers un appartement commun, des commentaires après un spectacle qu'on partageait enfin, de la vitre du taxi qu'on descendait pour vous, de la main qui se posait sur le poignet et la montre, sur l'heure qu'on oubliait à deux, dans Paris qui redevenait, à mesure que l'on traversait des quartiers de plus en plus éteints, une ville étrangère que l'on se promettait de visiter le lendemain, le soulagement de la clef que l'on n'avait plus à rechercher soi-même, des lampes qu'on allumait devant vous, des pas vers la chambre, à demi portée. Mais ils savaient tous les deux — alors qu'il la déposait rue du Delta et la regardait s'éloigner sur le trottoir avec un peu de regret, une sorte de nostalgie inquiète, mais pas trop, pour ne pas la troubler, ne pas la changer — qu'elle préférerait toujours à la paix éventuelle d'un couple le hasard, les taxis sauvages, le goût sur les lèvres du gin glacé bu dans un bar encore ouvert de la Rive droite, l'inconnu croisé, en rentrant, aux alentours du square d'Anvers, l'ascenseur où elle suffoquait de désir, de peur aussi que l'autre ne fût trop ivre pour l'étreindre, ou perdu pour ne pas exiger d'elle qu'elle l'écoutât jusqu'au petit matin, la tête chavirée ensuite, presque battue à force de caresses dures, pressées, inconscientes, les billets qu'elle rassemblait parfois, sans même qu'on le lui demandât, assise, nue avec juste la perle bleue d'Afrique qui brillait dans l'ombre entre ses seins si blancs, au bord du canapé où reposait son sac ouvert, sans même lever les yeux vers le visage de celui auquel elle oubliait de demander son nom ou de revenir un jour, qui n'avait même pas cherché à la faire jouir, réussi à calmer sa tension égarée, sa détresse presque heureuse — à force de se donner raison, de vérifier que ce n'était pas encore l'amour, non —, trop lasse après son départ qu'elle n'entendait pas pour, une fois revenue sur le lit, basculer vers la forme de l'homme à peine inscrite dans le drap, ramener, bouger entre les jambes ses doigts mouillés d'alcool, de larmes, de fard retiré à son visage au moment où elle y avait plaqué les mains comme pour contenir, masquer d'avance un cri qui ne viendrait pas, n'ayant pas d'autre témoin, dans ces trois ou quatre heures de demi-sommeil qui lui restaient avant de se lever, de rejoindre la Maison, que l'ours en peluche suspendu, par les bretelles, au montant du radiateur, et qui veillait sur elle avec ses yeux de verre brun et doré depuis qu'elle l'avait vu, tout petit dans l'angle de la vitrine, illuminée sous la neige, d'un magasin de Québec — et cette impression qu'elle était très loin de tout, qu'elle achevait de se perdre, que tout pouvait finir maintenant — cette impression dont elle avait besoin pour se croire de plain-pied avec la vie, écrire, et peut-être déjà commencer à mourir.

Cette impression qu'elle n'avait peut-être jamais autant éprouvée que dans le petit appartement qu'elle avait loué, un été, à Cannes, et où elle écrivait des jours entiers malgré la fournaise.

Un soir, elle avait rencontré Mous sur la Croisette (elle n'aurait jamais su que son prénom ; son nom, lui répétait-il, elle n'en avait pas besoin ; elle savait seulement qu'il habitait à Seillans, dans l'arrière-pays ;

travaillait dans une usine de parfums, près de Grasse ; passait ses dimanches dans la villa d'« amis », au bord de leur piscine). Pour le retenir, l'empêcher de disparaître, tenter de déterminer elle-même les jours où il reviendrait, elle l'attendait — après avoir fermé tous les volets comme si elle était dans une de ces vedettes aux vitres fumées qu'elle voyait filer, en plein soleil, sur la mer — en fin d'après-midi, vers six heures, nue, dans la chambre, avec les billets qu'elle avait préparés, placés sur le lit, au bord de son corps, suffisamment espacés pour qu'il pût les compter, vérifier d'un coup d'œil qu'elle ne l'avait pas trompé. Elle l'entendait pousser la porte d'entrée qu'elle avait laissée entrouverte, se déshabiller très lentement dans la pièce d'à côté, déposer sa lourde montre sur la table, et ce petit choc crispait son cœur de désir. Et puis il y avait ce long silence où elle ne savait jamais ce qu'il faisait, s'il prolongeait l'attente exprès, ou s'il était en train de renoncer, à cause, pensait-elle, d'une autre aventure qu'il aurait eue dans l'après-midi, juste avant elle, et qui l'empêcherait de l'étreindre, si bien que sa jalousie s'étendait à la ville entière. Mais non, il ouvrait brusquement la porte de la chambre, s'approchait du lit, descendait d'abord vers les billets, qu'il prenait l'un après l'autre, qu'il glissait, agitait entre ses doigts — tel un magicien qui s'apprêtait à les faire s'envoler, à les transformer dans l'obscurité en petits drapeaux ou en ailes de mouettes. Il lui en caressait très lentement le bord des jambes, les hanches, l'une après l'autre, ses seins puis ses lèvres qui murmuraient à peine : « Ça te va ? » avant qu'elle ne fût submergée de frissons. Elle lui soufflait, le visage plaqué contre le drap, après qu'il l'avait retournée et pénétrée : « Je te donnerai tout ce que tu voudras... » Et il lui répondait, suspendu, les bras écartés au-dessus d'elle, en laissant flotter comme une menace, un souhait, une exigence immense qu'elle ne parviendrait peut-être pas à satisfaire : « Tout ce que je veux ?... — Oui, oui ! » reprenait-elle, alors qu'il lui mordait la nuque et les épaules, lui criait presque de ne plus bouger. Elle lui disait qu'elle lui donnait plus, oui, beaucoup plus, là, tout de suite, pour la façon qu'il avait, maintenant, d'écarter sa jambe droite, de jouer avec ses cuisses, de la manipuler — et, aveugle, essoufflée, perdue, elle amenait vers lui les autres billets qu'elle avait prévus, gardés sous l'oreiller, et cela n'en finissait pas, elle augmentait la somme à chaque mouvement qu'il inventait, qu'il semblait improviser, qu'il était assez habile pour suspendre parfois comme s'il préparait un nouveau départ, s'inventait une histoire où elle n'était pas, ou bien regardait simplement de biais la table au loin et les feuillets alignés, comprenant que, lorsqu'elle recommençait à écrire, elle voulait ne plus rien épargner, tout donner, dans tous les domaines à la fois, jusqu'à ce qu'il n'y eût plus rien de côté, jusqu'à presque en mourir. Elle lui demandait, pour que cela fût vraiment dangereux, de jouir en elle, mais c'était

39

lui qui, par appréhension pour lui-même, se retirait avant, venait jouir sur son visage qu'elle levait vers lui, soumise, sans force, et abandonnant l'idée de son plaisir final, qu'il lui promettait de lui donner en restant en elle une autre fois qui n'arrivait jamais. Ils se retrouvaient, quelques instants plus tard, côte à côte sur le canapé vert — elle, encore nue, lui déjà habillé — devant la télévision, qu'il allumait, l'oubliant aussitôt et ne lui prenant même pas la main ; et ce n'était que lorsqu'il la sentait s'éloigner, se raidir un peu, qu'il lui disait, dans un revirement de douceur auquel, bien sûr, elle succombait, qu'il ne venait pas simplement pour l'argent, qu'ils s'entendaient bien, qu'il avait été touché le jour où elle lui avait parlé de son livre, lui en avait avoué le sujet, le titre — elle qui, d'habitude, gardait tout secret jusqu'au bout : c'était si fragile, le fil risquait de se casser si vite. Et puis, parce qu'il devait rentrer, il allait vers la salle de bains qu'il illuminait pour que, de loin, elle se concentrât sur cet espace de lumière, sur la rumeur de l'eau qu'il faisait couler pour se rafraîchir longuement avant de repartir dans la nuit chaude ; mais elle savait qu'il entrait là-bas, en douce, dans la chambre, qu'il ramassait les billets envolés, dispersés sur le sol : ce n'était pas un jeu, elle l'avait presque oublié. Après qu'il était parti sans convenir d'un jour, d'un autre rendez-vous, elle se souvenait, en allant s'asseoir sur le balcon, du soir de juillet où il s'était, pour une fois, attardé, où il lui avait dit, après qu'ils avaient bu deux ou trois bouteilles de rosé de Provence, qu'il l'aimait. Elle était prête à abandonner son roman, à partir avec lui, à l'emmener partout où il voudrait, et elle lançait en désordre les noms de pays, de villes qui tournaient à toute allure dans sa tête tandis qu'ils tombaient ensemble, qu'il l'embrassait, la saisissait, sans aucun billet, pour la première fois, à côté. Mais, quelques minutes plus tard, elle se rappelait cette nuit plus récente où, après qu'il l'avait aidée à faire ses provisions à Cap 3000, il roulait très vite sur l'autoroute, muet, tendu, la tête baissée sur le volant, comme s'il était en cavale, avait peur d'être reconnu ; un rond rouge était apparu sur le tableau de bord ; il s'était écrié qu'ils allaient avoir une « panne terrible », que la voiture était finie, qu'elle devrait l'aider à la remplacer dès le lendemain ; elle lui avait proposé de s'arrêter au garage du Palais gothique, ou à d'autres garages en chemin ; mais non, il continuait à rouler encore plus vite ; elle comprenait — même si elle n'avait aucune connaissance technique — qu'il mentait. Oui, il mentait sur toute la ligne (pensait-elle avec une telle tristesse qu'elle manquait ouvrir la portière, basculer d'un coup sur la route). Il inventait Seillans, l'usine de l'arrière-pays, la villa de ses amis, ses dimanches de luxe, son départ avec eux le 15 août vers les Rocheuses, en lui demandant de lui offrir un sac de couchage pour camper au bord du lac Doré. Peut-être inventait-il aussi le trajet d'une heure au moins pour venir la voir, les embouteillages considérables qui le retardaient toujours, qu'il habitait, tout près, à la Bocca ou dans un autre faubourg de Cannes, seul ou avec de grands frères avec lesquels il achevait de dépenser tous les billets dans les bars des plages et qui l'avaient conseillé, lui avaient dit comment agir, apprivoiser, maintenir dans ses filets, avec un juste dosage d'absence, de disparitions, de retours inattendus, de promesses et d'étreintes brusques et raffinées dont elle ne pouvait plus se passer, une femme un peu perdue, et très seule qui avait besoin d'un peu de plaisir, d'une illusion, au moins, de tendresse régulière, d'un lien hebdomadaire pour ne pas tomber, continuer à écrire, aller jusqu'au bout de son roman et de l'été. Mais elle se disait, en même temps, qu'il avait le droit de réinventer sa vie, de fabuler parfois ou de déplacer la vérité vers un autre lieu, une autre année, qu'il ne le faisait que pour essayer de s'accorder à elle qui, de page en page, avait passé sa vie à tout métamorphoser, et, reprise par une immense pitié, un désir de comprendre et de pardonner qu'elle prenait pour de l'amour, elle le revoyait courir, comme traqué, sur l'esplanade de Cap 3000, avec son épaule gauche trop penchée en avant, presque déboîtée, comme s'il avait reçu, quand il était tout petit, des coups trop forts qui l'avaient définitivement abîmé et que, par fierté, il n'oserait jamais lui avouer. Ce n'était pas sa faute s'il voulait parfois se donner un peu de lustre avec ses voyages rêvés vers les Rocheuses et le lac Doré. C'était elle qui

était en cause avec son goût pour les histoires con-
damnées d'avance, l'oubli volontaire de sa propre
beauté, l'abandon de la séduction et le besoin prématuré de payer. Elle se demandait pourquoi elle se
hâtait de ressembler à ces femmes qu'elle regardait
— escortées à quelques mètres par des jeunes hommes aux allures, dans leurs costumes blancs, de faux
princes de la Riviera, de Gatsby au petit pied — descendre les marches des grands hôtels en ployant,
comme des portefaix luxueux, aveugles et haletant
sous le poids de l'âge, des bijoux et la lassitude des
voluptés monnayées ; pourquoi — renonçant à rejoindre les fêtes de la côte où on l'invitait — elle se
comportait comme une prisonnière qui, pendant des
années, s'escrimait à ne pas commettre la moindre
faute, à obéir à tous les règlements, à devenir de plus
en plus grise et neutre pour obtenir cette remise de
peine que, le moment venu, elle oublierait de
demander. Elle préférait rester là, repliée sur le balcon, dans la brume de chaleur qui, plus épaisse avec
la nuit, recouvrait presque entièrement les palmiers
en contrebas, les collines de la Californie et les scin-
tillements irréels des feux d'artifice privés ; dans cette
moiteur harassante qui achevait de démanteler ses
nerfs, de dissoudre ses défenses, laissait déjà se multiplier en elle les mauvaises cellules. Peut-être était-elle
en train d'expier le tourbillon des succès du printemps — où, en descendant les passerelles des avions,
au cours de sa tournée des libraires, elle souriait elle-

même de son allure de star surmenée —, de se punir pour toutes les soirées où elle avait été admirée, fêtée, entourée d'un amour qui, selon elle, ne se justifiait pas tout à fait, aurait dû plutôt aller vers les morts, qu'elle évoquait dans ses livres et qu'elle s'accusait maintenant d'avoir utilisés et trahis.

Elle appréhendait de rencontrer Viviane qui, d'ordinaire, proclamait du haut de la galerie, avec une sorte d'admiration dépitée : « Vous avez eu le courage de venir jusqu'ici. » Puis elle lui prenait le bras dans un enveloppement presque amoureux en lui disant : « Rien n'est irrémédiable, ma petite Élisabeth », avec la compréhension énergique et la complicité emphatique d'une femme qui, dans le passé, avait frôlé ou affronté des épreuves similaires dont elle était sortie victorieuse et sur lesquelles elle gardait un mystère intraitable. Puis elle énumérait, dans un *dropping-name* mécanique, une litanie médicale et mondaine, qui lui tenait lieu d'altruisme, les noms de professeurs réputés, qu'elle pourrait aller consulter de sa part, avait un élan de bonté étourdie (elle feignait d'oublier que les mains d'Élisabeth étaient trop faibles pour tenir un volant, que ses réflexes étaient trop diminués pour évaluer les distances) en lui proposant pour ses déplacements à travers Paris une voiture un peu ancienne, qu'elle avait ramenée de la campagne et qui était au point mort dans la cour de son hôtel particulier de la rue de Lille. Puis elle lui suggérait, en l'attirant dans son bureau, d'écrire, si elle n'avait pas la force de poursuivre et de terminer son roman, un essai « à vif » pour la nouvelle collection, à fleur de peau et de douleur, qu'elle serait ravie d'inaugurer avec elle. Elle scrutait ses traits malades, semblait évaluer le nombre de jours et de semaines qui lui restaient à vivre, se penchait sur le visage d'Élisabeth qui s'amincissait dans le halo vert de la lampe, comme si elle était une accusée épuisée, en bout d'interrogatoire, et qu'il suffisait, sans avoir besoin de la harceler, d'une phase supplémentaire de fatigue pour lui soutirer d'ultimes révélations sur elle-même (et elle, si discrète, si retenue, souffrait, après, de s'être abandonnée, comme si elle avait eu peur de ne pas donner suffisamment de gages de sincérité, de cœur mis à nu et de soumission impudique, à des confidences emballées, où elle ne laissait rien de côté). Tous ces secrets de la dernière heure que, dans un satisfecit posthume, elle pourrait se flatter d'avoir suscités, proclamant, au fil des cocktails, dans des interludes de commémoration, qu'elle l'avait jadis sauvée — en lui demandant d'écrire ce bref témoignage sur sa maladie — de la détresse essoufflée des derniers mois, de la lenteur, sinon de la paralysie d'inspiration, qui avait précédé la fin. Cette fin qu'elle souhaitait au fond car elle savait qu'elle briserait

Alain, achèverait de l'éloigner du bureau princier, où elle rêvait depuis toujours de s'installer et qui représentait la dernière étape de son ascension dans la Maison.

« Et mon café, ma petite Élisabeth. Vous n'allez pas me le chercher ? Qu'est-ce qui se passe aujourd'hui ? » lui disait Roger avec son autorité tendre, cette bonté rocailleuse qui, ce soir, s'embrumait dans sa voix. Peut-être était-ce l'un des moments, dans la Maison, qu'ils regretteraient le plus, tous les deux, quand, après le comité où il avait tempêté pour imposer ses choix — son visage de vieux commandant insoumis, encore rougi par une colère qui pouvait heurter parfois, mais n'était, au fond, que l'expression d'une exigence qui s'enflammait —, il la regardait descendre depuis la deuxième galerie, en tenant les gobelets brûlants en équilibre instable entre ses doigts, avec son air ahuri de prestidigitateur qui aurait oublié la suite de son tour. Il l'emmenait vers la salle de réunion déserte en fin d'après-midi, lui enveloppait les épaules sous la verrière assombrie, lui murmurait, comme si elle était une fille aînée — celle qu'il préférait dans la petite famille qu'il s'était inventée ici —, des confidences, des conseils, calmait, ces derniers temps, sa tentation de s'en aller, son incompréhension devant la terreur de comédie, le climat d'anarchie savante que faisait régner Viviane, en attisant les rivalités imaginaires entre des clans qui ne savaient même pas comment ils s'étaient constitués, en annonçant des promotions soudaines, en jouant des menaces de mise à l'écart, des espoirs de délai de grâce, en excitant chez chacun, en développant à son image, le plaisir de blesser, le don de casser — qu'Élisabeth n'arrivait même pas à imaginer.

« Vous allez partir, Roger... », lui disait-elle en s'asseyant devant lui, en lui prenant la main. « Oui, je crois bien... ils veulent du sang neuf... » Elle devinait derrière l'apparence pimpante — le costume étrenné, les cheveux récemment coupés — qu'il avait voulu se donner pour assister, tout à l'heure, à la fête, la souffrance de ces derniers jours où il avait dû photocopier en secret son curriculum vitae, ne sachant comment effacer, faire oublier sa date de naissance, souligner davantage ses états de service littéraire, mettre en avant des succès de la Maison dont il n'avait été souvent que l'artisan souterrain, s'il était utile de mentionner des décorations, que tout le monde avait obtenues depuis ; où il essayait de se construire un sourire de distance à peu près sereine, de soulagement à peine désabusé, quand on l'interrogeait sur les raisons de son départ ; où, par fierté, il n'écoutait pas vraiment jusqu'au bout les conseils d'« amis » qui lui indiquaient — avec d'autant plus d'empressement avisé et de dévouement judicieux que, plus ou moins inquiets pour eux-mêmes, ils anticipaient sur l'attitude qu'ils aimeraient qu'on eût un jour à leur égard — des pistes de travail, des postes qui étaient susceptibles de se libérer ailleurs ; où, dans les contacts qu'il reprenait en secret, il tentait de donner à son regard une fraîcheur, une acuité moderne ; à ses gestes, à ses réflexions un rythme plus léger et immédiat, pour prouver qu'il n'était pas dépassé, était capable de détecter ce qui était dans l'air du temps ; où, quand il attendait dans les halls d'autres maisons, où on le recevait au bout de quelques jours, il prenait un air de visiteur distrait qui ne venait là que pour revoir un ami, discuter de tout et de rien, comme ça, en fin d'après-midi.

Et puis, avec une sorte de fermeté ivre — comme si c'était le seul droit que personne ne pourrait jamais lui retirer : « Je donnerai, bien sûr, comme tous les ans, ma garden-party (ce mot qui ne lui allait pas vraiment, qu'il prononçait avec une préciosité bourrue), en juin, à Viry » — et, plus doucement, sans presque la regarder : « Vous y viendrez, n'est-ce pas ? » Elle avait aimé, chaque année, cette fête qui se terminait rituellement, dans le jardin de sa maison de campagne, par un tournoi de ping-pong auquel il exigeait que tous les invités participent, où il semblait supplier chacun de laisser gagner son petit-neveu Anthony, pour qu'il remportât la coupe, dont il avait dessiné lui-même les motifs latéraux — deux anges espiègles et batailleurs tendus, de chaque côté, vers une balle qui leur échappait dans le ciel (et c'était cela qui lui avait le plus serré le cœur, quand il avait reçu la lettre d'éviction plus ou moins maquillée : être obligé de supprimer les anges, ne plus pouvoir même lui offrir cette coupe à laquelle il consacrait ses primes, ses économies, ses avances pour des scénarios de dramatiques télé qu'il réécrivait en sous-main). Il avait été le seul, en juin dernier, à deviner qu'Élisabeth multipliait, en jouant, les mimiques de clown gaffeur, s'embrouillait dans les services, se moquait des points qu'elle perdait à toute allure pour faire rire les spectateurs et dissimuler combien elle souffrait déjà — avant d'aller s'étendre, après lui avoir remis sa raquette, sur le versant le plus sombre du pré, de se confondre presque avec les herbes qui, à la fin du jour, prenaient les teintes mauves et cendrées des algues de la baie de Somme. Renonçant, pour une fois, à son rôle d'arbitre exalté, il était allé vers elle, lui avait dit, comme s'il pressentait qu'elle allait bientôt subir les premiers rayons, abandonner la partie, que, si elle avait besoin de se reposer, il serait là pour la seconder, recevoir, à sa place, les auteurs qu'ils « suivaient » ensemble depuis si longtemps, qu'ils aimaient également, quand ils les voyaient arriver du bout de la galerie, pour leur allant fragile, leur fierté angoissée, leur narcissisme panique, leur geste d'offrande taciturne quand ils tendaient enfin leur manuscrit, l'ardeur naïve avec laquelle ils suppliaient qu'on leur rendît, dans la minute, l'amour que, dans la prodigalité des sensations ou des sentiments décrits, ils croyaient avoir donné au monde entier. « On va continuer à les suivre... On ne va pas les abandonner comme ça... », lui disait-il : il avait tellement peur qu'elle ne lui dise que ce n'était plus la peine, lui qui, ces derniers mois, allait, parfois, le soir, rue du Delta, déposer, comme en secret, dans sa boîte aux lettres, un manuscrit qu'elle aimerait, il en était sûr, ils avaient toujours été sur la même longueur d'ondes. Elle ne savait pas qu'il regardait ensuite, de loin, dans la rumeur du métro aérien, depuis l'angle du boulevard Rochechouart, sa fenêtre éclairée, essayait de suivre le clignotement de la croix de la pharmacie, à côté, comme s'il suppliait de la sauver, avant de repartir, un peu égaré dans la foule du soir autour de chez Tati, le visage redevenant rouge à cause du chagrin, de sa colère à peine contenue contre le monde, Dieu, la Maison, les globules déréglés, Paris qui tuait en priorité ceux qu'il aimait, et serrant avec une vaillance tremblante la poignée de son cartable, au cuir brun, de vieil écolier trop chargé et que personne n'avait jamais songé à aider en chemin. « On ne va pas se perdre de vue ? » lui disait-il en tournant les yeux vers le mur du fond.

On ne voyait, dans l'ombre de la galerie éteinte — tant elle était pâle, presque effacée déjà — que le rose de son tailleur, celui des salons, des signatures d'automne, du petit festival de Fuveau, où elle l'avait porté pour la première fois, il y avait deux ans à peine, encore radieuse, frémissante de sollicitude envers ses lecteurs, d'ardeur, presque suppliante, mise à les écouter, à entrer peu à peu dans leur vie, les coudes appuyés sur les piles de ses romans qui, au fil des heures, prenaient, sur la place du village de Provence, l'odeur de l'écorce tiède des platanes autour, des paniers de raisins, des auvents des épiceries endormies. Elle regardait de très loin, comme du fond d'un balcon, et sans s'approcher de la rampe — elle avait si facilement le vertige, maintenant, tout redevenait plus haut, plus profond, comme pour une enfant —, la salle, en bas, qu'on éclairait en entier, les échelles qu'on décrochait des parois de livres, qu'on mettait de côté, le comptoir qu'on recouvrait d'une immense nappe blanche, les bouquets et les plateaux qu'on plaçait, très vite, avec une souplesse minutée, comme dans l'un de ces décors qu'on changeait directement devant les spectateurs, entre deux actes, sans baisser le rideau. Elle essayait, en entrant dans mon bureau, d'esquisser un sourire, pour prouver qu'elle n'allait pas si mal, qu'elle n'était pas obligée de rentrer déjà rue du Delta, qu'elle avait encore assez de ressources, de résistance pour tenir le coup avec moi, rester jusqu'à la fin de la soirée. « Tu vas tout laisser, bien sûr... », me disait-elle en regardant les cartons, autour, que je n'avais pas commencé à remplir. « Tu ne le feras que lorsque, après ton

51

départ, ils t'auront téléphoné plusieurs fois pour que tu viennes les chercher... Viens... on va s'en occuper tous les deux », comme si elle pouvait encore prendre des piles entières de livres dans ses bras. Mais elle s'apercevait qu'elle ne pouvait même pas déplacer les deux ou trois dossiers de vieux courrier sur l'étagère droite, venait s'asseoir à mes côtés, disait, en baissant les yeux : « Il y en a des choses, ici... » Oui. Tous ces manuscrits entassés, les doubles de réponses, les romans oubliés, mais aussi les silhouettes et les voix de ceux que j'avais accueillis pendant des années, les souvenirs des midis de bonheur, de victoires — comme si c'était l'été, soudain, dans toute la Maison ; des cercles taciturnes réunis les soirs de batailles perdues, depuis la nuit d'hiver où j'avais rencontré Alain, au Royal Opéra, où il se tenait à l'écart de la foule des noctambules, mince et gris dans son élégance soucieuse, sa mélancolie ouverte, son air à la fois tranquille et intrigué, réservé et prêt à toutes les traversées, comme s'il continuait à regarder le monde depuis l'ombre d'un des cafés du vieux Lisbonne donnant sur la mer ; nous avions marché sous la neige qui commençait à tomber — les Tuileries étaient déjà blanches, on ne voyait plus le dôme de l'Opéra — jusqu'à la Maison, où il devait prendre un manuscrit et qui, silencieuse, brune, presque chaude, avec son comptoir qui brillait sous la verrière éclairée par la neige, son odeur de cartes, de balances et de vieux cuir, son guichet de bois impeccable et nu, ressemblait à l'amirauté endormie d'un port neutre d'où serait parti, pour toute la saison, le dernier brise-glaces. « Pourquoi ne viendriez-vous pas travailler avec moi ? » m'avait-il demandé, en redescendant, avec, dans les yeux, cette nostalgie, ce besoin de paternité qui tournait à vide depuis que Conrad — dont il avait voulu, un temps, faire son fils adoptif — était parti pour la Ceinture de feu, et comme s'il revoyait sans cesse, une nuit d'été, sous le ciel torride, disparaître devant lui, dans l'ombre des guichets du Louvre, la lueur rouge du feu arrière de la bicyclette avec laquelle il rentrait rue Dauphine boucler ses valises. J'avais le cœur serré parce que c'était l'heure où, d'habitude, il entrait dans mon bureau avec sa rigueur cordiale, cette légèreté avec laquelle il pouvait m'adresser des reproches, comme en passant, dans un souffle de pouvoir, cette bonté mystérieuse, dont on ne savait jamais comment elle pouvait vous atteindre, son sourire indulgent quand il apercevait mes cheveux encore mouillés, devinant que je revenais d'un sauna du quartier alors que j'avais prétendu être à un « rendez-vous de travail à l'extérieur » (et j'avais, en sa compagnie, quand nous marchions ensemble, retournions prendre un verre au Royal Opéra, cette paix, cette tranquillité naturelle que je n'aurais jamais éprouvée — puisqu'il n'y avait pas de rivalité de vie, de désir — qu'avec les hommes qui aimaient trop les femmes et le plaisir pour ne pas vous englober dans la tendresse qu'ils leur portaient, étaient trop délicats, libres et épanouis pour ressentir la moindre gêne ou appréhension, plus ou moins envieuse ou hostile, de quelque chose dans quoi ils auraient pu sombrer, avaient seulement parfois un sourire de nostalgie amusée pour ces lointains jeux d'enfance, un peu troubles peut-être, dont vous demeuriez, à leurs yeux, le témoin). Il connaissait si bien mes difficultés à orienter ma vie, à trouver le bon rythme — sauf, peut-être, dans l'écriture où je me donnais parfois l'illusion d'être à la bonne vitesse —, mes impatiences excessives et mes découragements presque immédiats, ma tentation d'abandonner juste avant la fin, ma hantise et mon désir de l'exclusion, ma peur et mon plaisir de me sentir « hors jeu », qu'il rattrapait toujours en me disant : « Vous formez un si bon tandem avec Élisabeth » —, et c'était comme si je recevais un reflet, un peu de l'amour qu'il lui portait.

Elle posait la tête sur mon épaule, alors que montaient déjà vers nous les voix des premiers invités — repliée, toute petite soudain, dans sa chaise, comme si elle avait très froid — sous l'affiche de « Lire en fête », auquel elle ne participerait pas en octobre — retardant pourtant, non pas dans l'espoir d'aller mieux entre-temps mais de peur d'apparaître soudain capricieuse, hautaine, le moment de se décommander pour la journée de la « Rue des libraires », où elle devait lire ses textes du côté de Gambetta. Elle

me disait doucement : « Tu te souviens de notre première soirée, ici ?... c'était fin septembre, je crois... Il
faisait encore très doux... l'été continuait... » quand,
à l'entrée de l'impasse où nous nous étions rencon-
trés, elle m'avait pris le bras, en me voyant « empo-
té », comme aurait dit maman, décidé à jouer une
insouciance, une aisance à laquelle personne, bien
sûr, ne croirait, où j'avais eu l'impression, dans la
brume de chaleur qui entourait la Maison tout éclairée, d'aller vers la villa de l'administrateur que je me
contentais de regarder de loin, lorsque j'étais enfant,
dans la nuit qui avait une odeur de blés, de rails brûlants, de vieux amandiers de bord de voie étouffés
par le vent de sable, de citernes vides, de fin de rues
moites où les femmes épuisées, en peignoir, continuaient, malgré tout, à s'appeler de balcon en balcon :
il me semblait que le sirocco s'arrêtait toujours de
souffler à quelques mètres de la Villa, que c'était un
autre air, un autre climat, un autre pays, avec les palmiers propres dont les feuilles, comme vernies,
paraissaient n'avoir jamais été atteintes par le soleil
— trop haut, trop loin — ni abîmées par les orages
de grêle ou les tempêtes de sauterelles ; toutes les
fleurs, blanches surtout, que je ne connaissais pas,
qui paraissaient avoir été amenées des serres et des
jardins de France par des bateaux spéciaux, puis dans
des wagons hermétiques et frais qui avaient traversé,
sans dommage, les zones de désert et les hauts plateaux brûlés ; les voitures noires qui arrivaient des

domaines sans la moindre éraflure, la moindre trace
de poussière sur le capot ou les ailes comme si elles
avaient roulé dans un décor climatisé sur une route
de cinéma ; les cartons d'invitation qu'on tendait
dans la nuit, aussi larges, doux et dorés que les carrés
de parchemins reproduits dans le livre d'histoire ;
le silence des femmes qui descendaient, tranquilles,
à peine hâlées, vêtues de robes souples et beiges, con-
çues ailleurs par des couturières royales, avançaient
entre les bassins, les geysers éclatant partout comme
si la terre avait un secret à cet endroit, n'avait pas bu
toutes les pluies de printemps, les avait gardées pour
les restituer le temps d'une soirée ; ils parlaient de
cures à Vichy ou au Mont-Dore, d'automnes à Paris,
de restaurants panoramiques, de cadeaux à choisir
dans les nouveaux magasins des Champs-Élysées, de
saison à l'Opéra pour laquelle ils partiraient ensemble en avion ; ils ne s'arrêtaient de discuter autour
des plateaux d'alcools glacés que lorsque arrivaient
les « officiels » que je ne voyais que le matin de la dis-
tribution des prix ou dans les tribunes du 14 juillet et
qui, à mes yeux, régentaient tout — les lois, les défilés, le rythme des promenades et des métiers, des
récompenses et des révocations, avaient même le
pouvoir de faire mourir ; ils finissaient tous par s'éloigner vers là où il y avait plus d'étoiles, de la musique,
un grand kiosque au toit bleu, suivis par les serviteurs
en blanc qui semblaient chargés de maintenir autour
d'eux le cercle d'une autre époque, d'une autre Algérie,

alors que dans la villa maintenant déserte demeurait un homme qui, indifférent à la réception, continuait à lire, debout, près de la fenêtre, dans la bibliothèque à demi éclairée ; il ne relevait la tête que pour regarder le ciel de-ci, de-là, paraissait suivre le mouvement d'un planeur de nuit au-dessus des blés immenses et sombres, où il finissait par m'apercevoir, étonné, comme si j'étais descendu en pleine campagne du dernier train du soir qui venait de passer ; il semblait me dire de loin de ne pas m'inquiéter, que je devais attendre, que quelqu'un viendrait me chercher, même si c'était dans des années. J'avais eu l'impression, ce soir-là de septembre, que c'était Élisabeth qui remplissait ce rôle, m'aidait à entrer enfin dans la grande demeure, où on m'accueillait sans vérifier si j'avais ou non un carton à la main, sans me demander jamais qui j'étais, de quel coin perdu je venais.

« Vous ne descendez pas ?..., nous demandait Claire, ... je vous prends votre châle, Élisabeth... je le garde avec moi... vous ne risquez pas de le perdre. » C'était presque devenu, avec les années, une plaisanterie entre elles : elle l'avait si souvent oublié sur les divans des halls d'hôtel, sur des tréteaux de salon du livre en fin de journée, dans les salles de mairies ou de semi-châteaux où venait de se terminer le dîner collectif, sur la chaise d'un café éteint de province où elles avaient pris un dernier verre après minuit.

Élisabeth voulait se remaquiller ; mais Claire, en la voyant si fatiguée, ouvrait déjà son sac, en tirait le tube de rouge à lèvres, le passait sur ses lèvres si sèches et pâles ; puis elle étendait très lentement sur son visage comme si elle la maquillait depuis toujours (tandis que le brouhaha s'élevait comme vers une loge, à l'étage, juste avant une représentation) le fard brun, aux reflets dorés, qui, comme elle l'espérait, donnerait l'impression qu'elle revenait, elle aussi, de longues vacances, d'un séjour au bord de la mer, qui l'aurait guérie peut-être ; elle insistait, attardait ses doigts vers les tempes, sous les premières mèches de la perruque, pour prolonger son intimité avec elle : il y avait eu tant de joies et de peurs partagées, de verdicts attendus ensemble, de larmes énervées au même moment, de secrets qu'elles s'étaient confiés dans les chambres d'hôtel, après les signatures, et dans le silence des trains de retour, dans le bureau aussi, quand la nuit arrivait. « Je vous accompagne ? » lui disait-elle comme lorsque, contente, fière d'elle déjà, à peine inquiète, elle la conduisait vers un débat, devant la foule rassemblée sur les gradins de l'amphithéâtre d'une Fnac ou d'un palais des Congrès ; ou dans les coulisses d'un studio de télévision, à Boulogne, lui disant en chemin : « Vous serez bien, comme toujours... » (mais sans trop insister : elle savait qu'Élisabeth se passait d'encouragements extérieurs, avait pris l'habitude de les puiser au fond d'elle-même) avant de se retirer, de se placer là-bas, à gauche des caméras et des techniciens, dans l'ombre des plis des rideaux de plastique noir pour qu'elle eût un repère, un sourire au loin en s'asseyant à la table de l'émission, lui signalait simplement, après l'enregistrement, les câbles, les fils des projecteurs étalés sur le sol pour qu'elle ne se cassât pas un talon sur l'un d'eux en descendant du plateau, ne lui prenait la main que plus tard, en cachette, derrière les panneaux qu'on s'apprêtait à déplacer, pour apaiser sa tension secrète, l'immense effort qu'elle avait dû faire sur elle-même pour paraître à la fois contrôlée, détendue, presque heureuse, comme elle espérait qu'on le dirait alors. Claire épousait maintenant son allure, à la fois lente et hardie, déterminée et malheureuse, en descendant avec elle les dernières marches de la galerie, vers le monde et les lumières qui l'aveuglaient aussi, décidée à garder, bien en évidence sur son bras, le châle aux grandes fleurs jaunes et noires, telle une part d'été, le souvenir — lorsque Élisabeth se retournerait — d'une promenade, une nuit de juillet, sur le corso d'une ville du sud de l'Espagne, être sûre qu'elle reviendrait vers elle, qu'elle ne la perdrait jamais.

Voilà que Viviane arrivait, triomphante dans son fourreau noir (« selon les jours, elle a l'air d'une bohémienne ou d'une princesse » — ce soir, c'était d'une princesse — disait Brigitte, avec son petit sourire de rescapée triste de la vague des départs), comme amincie, blondie par son succès du jour — « son » auteur autrichien venait d'obtenir une récompense —, ponctuant sa traversée de la salle de rires d'autant plus claironnés et étourdissants qu'ils s'adressaient en priorité à ceux qui ne l'aimaient pas et n'avaient admis qu'avec réticence son arrivée dans la Maison. Elle bifurquait, le temps de lui lancer un regard de surprise, presque d'admiration, qu'elle fût encore là, qu'elle résistât aussi longtemps, en arrivant à la hauteur d'Élisabeth qui se tenait si frêle et droite dans son tailleur, ramenant parfois la main, comme pour trouver un second souffle, vers le cœur de grenat qui miroitait dans l'échancrure du corsage, les yeux brillant de défi, de fièvre, de lassitude hallucinée, de bonté tourmentée, de passion d'observer — encore et toujours —, d'adieu concentré, de gratitude triste envers un monde qu'elle avait tant aimé. Elle me prenait la main dans l'ombre des invités (presque aussi belle que le soir où, dès notre arrivée, nous avions accroché nos manteaux, mouillés de neige, sur le même cintre, pour être sûrs de rentrer ensemble, de ne pas céder au mirage d'une aventure de buffet, à l'attraction d'une invitation personnelle, ou flatteuse, de dernière minute, qui nous aurait séparés) pour ne pas tomber, pouvoir s'éloigner à temps de ceux qui risquaient de l'étourdir davantage en lui posant des questions sur son départ de la Maison, sa maladie parfois ; ou de la choquer par le spectacle de leur versatilité, de leur opportunisme foudroyant : elle avait surtout peur de perdre ses dernières illusions sur eux, habitée par ce besoin d'idéalisme qui lui faisait imaginer des régions immenses et secrètes de tendresse, même chez ceux dont elle devinait aussitôt le goût de la cruauté et la propension à la machination. Sans doute, dans sa hâte à accorder des circonstances atténuantes et des pardons anticipés, n'arrivait-elle pas vraiment à détester Jean-Paul Vernes (il la ménageait un peu, compte tenu de son état : on ferait appel, de temps en temps, à ses conseils, elle pourrait participer au comité « rénové » qui se constituerait dans les prochaines semaines, lui avait-il écrit dans l'après-midi ; elle n'avait même pas pris la peine de refuser, sachant trop que cette offre n'était qu'un alibi de charité, un motif de compassion stratégique, l'occasion d'exercer, en passant, un droit de grâce qui ferait oublier, un temps, le cortège des autres condamnations) qui, là-bas, saluait les invités, raidi et blême comme d'habitude, dans sa courtoisie tendue et appliquée, cette permanente maîtrise, ce sang-froid péremptoire et hypertrophié, sans doute acquis, consolidé par la cure de psychanalyse qui l'avait tellement incité à agir selon son désir — et lui uniquement — que cela n'avait fait que renforcer son narcissisme glacé, accentuer sa conviction d'être dans son bon droit, quelles que fussent les décisions prises. Il avait cette impassibilité de la peau que n'affectait aucun frémissement, comme s'il était suivi par un masseur imaginaire chargé de dompter en lui le moindre trouble, le moindre affleurement d'une sensibilité qui ne s'était exprimée qu'une fois, lorsqu'il avait été abandonné par sa très jeune femme qui, lassée par sa surveillance jalouse d'Arnolphe prématuré, s'était enfuie en Amérique avec un violoniste de son âge (à l'époque, il se retranchait dans son bureau qu'il éclairait à peine à la nuit tombante pour qu'on ne vît pas ses yeux rougis par les insomnies, le dépit étonné et rageur — d'avoir été lâché pour la première fois de sa vie — et la gêne désemparée de se retrouver seul avec ses enfants avec lesquels il ne savait quelle technique d'affection employer, et qu'il avait décidé d'emmener, le dimanche, à la Maison, pour que, à force de circuler parmi les livres, ils aient déjà « le métier dans le sang »). Ce fut à cette période que, l'invitant, un soir, à dîner à La Tête d'Or, et le croyant devenu vulnérable — sa main dérapait, en le prenant, sur le socle du verre ; il se taisait souvent, absorbé par la pluie, et restait tourné vers les rafales comme si elles achevaient de recouvrir son amour et tout l'Atlantique —, elle lui parla, espérant l'amadouer, du désintérêt d'Alain qui, lui disait-elle, n'avait jamais cherché le premier rôle, n'était venu à Paris que pour être fidèle à son père, à ce qu'il lui avait transmis, n'aimait rien tant que de composer des fados pour Amália Rodrigues, la chaleur des cafés d'Alfama où il chantait à son tour, des nuits entières, parmi les militaires et les femmes que le bonheur semblait déshabiller, comme si rien n'avait changé pour lui depuis la révolution des Œillets — c'était cela sa vie, il allait bientôt la retrouver : elle avait eu tort, bien sûr, cela n'avait fait qu'aviver son envie de ses luxes d'artiste, de ses passe-temps d'héritier, de cette légèreté qu'il ne voulait même pas imaginer, de cette tendance au retrait, à l'effacement qui était, à ses yeux, une faute majeure ou une tactique secrète, dont il continuait à se méfier, retrouvant, dès le lendemain matin — et comme s'il ne se pardonnait pas sa baisse de tension d'une soirée — son intransigeance abrupte, cette interdiction qu'il semblait se donner à lui-même du moindre abandon, de la moindre attention perdue qui lui aurait permis, en éprouvant d'autres souffrances que celles, éventuelles, de l'amour-propre, de se tromper, d'aimer, et peut-être de réussir vraiment.

« Ils se complètent bien... pour le moment... jusqu'à ce qu'ils se détruisent », me disait-elle, en voyant Viviane qui, là-bas, à l'ombre des grands bouquets de fleurs, lui saisissait le bras, sûre de son emprise sur un homme qui avait enfin trouvé en elle la seule femme dont il n'avait pas peur, la seule associée qui savait l'envelopper avec une juste alliance de maternité canaille, de moquerie attendrie, de flatterie ponctuelle, de sincérité précautionneuse, de franchise calculée — tout en lui donnant des avis souvent rapides, presque abrupts, elle veillait à ne jamais critiquer ouvertement les projets dont il était l'initiateur, pour lui laisser l'illusion d'une marge d'indépendance —, de suprématie avisée et joueuse quand, l'aidant à surmonter son inexpérience mondaine, sa hantise des faux pas et des entorses au bon goût, elle le guidait à travers des mondanités dans lesquelles elle croyait être devenue experte depuis que, chaque dimanche soir, de retour de ses week-ends dans sa « folie » de l'Oise, elle donnait une réception dans le salon de son hôtel particulier de la rue de Lille, le ton de sa voix, sa façon de bouger, de se tenir, variant en fonction du groupe d'invités vers lesquels elle se dirigeait — de pas élégants, presque invisibles, de ravissement mesuré, de silence chic auquel elle ne renonçait que pour donner, ici et là, quelques gages de luxe quand elle faisait allusion à ses fréquentations internationales de haut niveau, à ses liens intimes avec des auteurs ultra-célèbres outre-Atlantique, à la loge qu'elle avait réservée, oubliant qu'ils l'avaient, eux, depuis toujours, à Bayreuth, en juillet, pour une autre version du *Ring*, à la maison qu'elle venait d'acquérir pas loin de la leur, vers Biarritz, et où ils viendraient déjeuner cet été, n'est-ce pas ? — auprès de ses nouvelles « connaissances » du faubourg Saint-Germain dans lequel elle rêvait d'être enfin admise ; d'éblouissement habile, d'émerveillement malin devant des hommes politiques à la fois puissants, menacés et louches, dont elle guettait les secrets, le fracas et la chute pour les confesser, les publier juste au moment de l'éclatement d'un scandale ; de bohème rebelle, un peu amère, quand elle s'adressait à d'anciens « révolutionnaires » (auxquels elle glissait, pour leur prouver que son ascension ne lui avait rien fait renier de ses colères d'antan, quelques allusions à son passé de militante dure) qui s'étaient récemment reconvertis dans l'anti-mondialisation ou la défense des sans-papiers et des sans-logis qu'elle passait voir lorsqu'ils squattaient l'immeuble de la rue du Dragon, en leur distribuant des encouragements enflammés entre deux courses chez les traiteurs de la rue du Bac, se risquant même, comme elle le rappelait volontiers, à héberger l'un d'eux pendant six mois, dans une chambre de l'aile gauche de son hôtel particulier ; de curiosité électrique, d'excitation immédiate avec les artistes « tendance » dont elle approuvait, partageait la dérision qu'ils manifestaient à l'égard de toutes les formes anciennes de l'art, mais jamais vis-à-vis d'eux-mêmes : elle adorait le livre, entièrement vierge qu'elle venait d'acquérir, composé de mille pages blanches, de tissus différents et à quoi, selon son concepteur, le monde devait aboutir ; de connivence trash avec la jeune égérie de stylistes en vue, reine des raves privées et des lieux intermédiaires, qui, exagérant, allongée sur un divan, son air d'absence, de dédain flapi et de défonce dorée, l'informait sur les derniers courants, dont elle admirait le visage constellé — les lèvres surtout — de pointes de diamants incrustés (elle lui promettait d'ailleurs, de mois en mois, un court roman sur la peau et les clous) et à qui elle demandait des conseils en piercing pour la petite épingle qu'elle comptait accrocher à sa paupière droite « même si elle n'en avait plus vraiment l'âge... » ajoutait-elle dans un rire à demi convaincu ; de complicité véhémente, sensuelle et batailleuse avec des féministes dont elle continuait à signer les pétitions, même si elle les savait périmées, et qu'elle rejoignait dans la grande cuisine, qui leur paraissait la pièce la plus appropriée pour leurs débats déchaînés et aigres de seconds couteaux ; d'estime à la fois sincère et navrée — quand elle apercevait Élisabeth, seule, silencieuse, à contre-jour, dans un angle — et un peu soupçonneuse — comme si elle n'arrivait pas, en lui faisant face, à mesurer la profondeur de la lucidité qu'elle cachait sans doute derrière ses yeux clairs d'enfant étonnée, à évaluer son degré d'insoumission secrète, de sécession invisible, de résistance au monde, à toutes ses brillances, qu'elle semblait vouloir tester en la ramenant, par le bras, avec une sorte de fermeté intriguée, vers le centre du salon, les voix et les lumières, guettant, à quelques pas, le moment où elle se laisserait séduire, où elle se révélerait, étourdie par des compliments ou par la ronde de propos venimeux tenus sur des absents et auxquels elle finirait par adhérer, aussi ductile, facile, changeante qu'elle ne l'était elle-même.

Il semblait relégué, effacé, Michel Valence, qu'elle avait accompagné, voulu voir fêté, partout, à une époque — pas si lointaine — et qui sentait qu'il n'occupait plus vraiment la première place dans la cour qu'elle défaisait ou reconstituait au gré de ses emballements du moment. Dans son costume beige très clair, qui paraissait déjà un peu moins lumineux, et son gilet dont l'imprimé de fleurs d'été avait l'air pâli, presque flétri — de dandy des Bains-Douches qui n'aurait pas eu le temps de se changer dans le tourbillon ininterrompu de ses invitations — il semblait à la remorque d'une faveur, d'une gloire, dont elle avait réussi à le persuader qu'elle en était la seule initiatrice, l'unique garante à l'avenir. Il s'affolait déjà de ce que sa position risquât de décliner puis de s'éteindre en dehors d'elle ; et, de loin, la suppliait en silence qu'elle l'enfermât à nouveau dans la dépendance de sa « folie » de l'Oise, où elle viendrait, comme avant, à la fin de chaque semaine, prendre les feuillets qu'il avait écrits dans sa retraite semi-dorée, et recueillir son regard de soumission impatiente, éblouie et anxieuse. Elle allait vers lui, caressait ses boucles blondes, d'enfant encore, emmêlées dans sa nuque, le regardait avec une lascivité nostalgique, comme si elle voulait lui laisser à la fois le regret des étreintes passées et l'espérance qu'il demeurait à ses yeux un amant qu'elle pourrait reprendre une autre saison, une autre année — le temps d'un autre roman. Elle finissait, devant son air perdu, par lui chuchoter à l'oreille quelques mots d'encouragement, de réconfort, d'amour peut-être. Car elle savait jouer aussi des sentiments, déployer des trésors d'affectivité, de mansuétude — surtout à l'égard de ceux qu'elle savait ou pressentait être les plus fragiles ou les plus prompts à l'attendrissement, les enveloppait, anesthésiant leurs réticences apeurées, dans des promesses de soutien qu'elle n'accomplissait que rarement. Elle avait, dans ces parades d'empathie, des bouffées de sincérité excitée, de franchise alcoolisée, de compréhension survoltée, qui la laissaient là, quelques minutes plus tard, médusée par sa propre émotion (à moins que ce ne fût la technique, parfaitement rodée, d'une comédienne qui allait puiser au fond d'elle-même de lointains souvenirs de chocs pour réussir à les mimer), cette émotion qu'elle se hâtait de masquer, dès qu'elle se rendait compte qu'elle était allée trop loin dans l'effusion, par des volte-face d'ironie définitive. Ce soir, elle choyait particulièrement Philippe, l'étourdissait de ses compliments redoublés, de ses minauderies flatteuses, lui faisait comprendre, maintenant qu'il était libre, qu'Élisabeth s'en allait et ne veillerait plus sur ses manuscrits, qu'il pourrait très vite maintenant venir auprès d'elle, qu'elle l'admettait volontiers dans sa cour, qu'ils pourraient même se dispenser de convenir de la date de la cérémonie d'intronisation, qu'elle improvisait là, devant le buffet, en bénissant de quelques larmes de champagne les yeux de Philippe qui se fermaient à demi, de gratitude anticipée, d'envie de l'adorer, de besoin d'abandon immodéré, de hâte, accentuée par la peur de se retrouver seul, à prononcer envers elle un serment d'allégeance. On pouvait brûler les étapes : dès dimanche soir, il assisterait à son coucher dans son hôtel particulier, lui annonçait-elle, souveraine et soûle, les épaules flamboyantes et nues, somptueuse de séduction autoritaire dans sa robe noire, illuminée de sentir qu'elle réussissait même, en si peu de temps, à conquérir les cœurs des sujets de ses anciens ennemis. Et lui, étourdi par ses tourbillons charmeurs de reine victorieuse, il se laissait entraîner avec une sorte de précipitation désolée, de ravissement navré, l'embarras triste d'un disciple qui ne savait comment rendre à l'un de ses anciens maîtres les emblèmes de son pouvoir révolu, en essayant de faire comprendre de loin à Élisabeth qu'il ne pouvait pas faire autrement que de s'incliner, se rallier à une cause qui, même s'il n'y adhérait pas tout à fait, était indispensable à sa réussite et à sa survie. Élisabeth le regardait s'éloigner, le cœur serré, non pas de le « perdre » : elle avait si peu le goût de la possession, n'avait jamais cherché à retenir, avait tout laissé filer dans sa vie, mais parce que remontait en elle le souvenir des soirs où, alors qu'elle n'avait pas encore de bureau à la Maison, elle le recevait pour travailler avec lui sur son manuscrit, dans sa chambre de l'hôtel de la Tulipe, du côté de l'Alma, où elle vivait. Tandis qu'ils restaient penchés, côte à côte, sur les pages qu'il avait écrites, il ne savait pas qu'elle se tenait au bord de l'amour, veillait à s'abstraire dans la pénombre, à le guider presque en silence, tout en guettant le moindre signe d'abandon — une inflexion plus complice de la voix, un rapprochement imperceptible du front ou des doigts — tel un passeur qui, conduisant son unique passager d'une rive à l'autre d'un fleuve, ralentirait la navigation de sa barge pour mieux sentir sa présence, sa respiration avant de lui frôler peut-être la main à la faveur d'une vague plus haute ou d'un nécessaire changement de cap. Elle retardait toujours le moment où il s'en irait, où, avant de s'éloigner, de disparaître dans la brume des arbres du bord de Seine qui, blanchis par les lumières des bateaux de l'Alma, prenaient la densité neigeuse d'un bois de Noël, il aurait, sur le seuil de l'hôtel, un sourire de reconnaissance rapide, de moquerie secrète, peut-être, pour sa sollicitude excessive de mère de comédie qui forçait sur son expérience, son calme et sa sagesse pour donner plus de poids à son rôle et assouvir, dans les tirades de protection emphatique et inquiète qu'il n'entendait presque plus, la nostalgie de l'enfant qu'elle n'avait jamais eu. Elle regrettait pourtant d'avoir, parfois, abandonné ce rôle en chemin, comme le soir de mai, à Cahors, où, à la fin d'une conférence qu'elle avait donnée devant les classes supérieures du lycée technique de la ville, un groupe d'adolescents était venu l'entourer. Grisés, peut-être, par l'odeur de mûriers, de roses sauvages et de barques chaudes qui montait des jardins et des rives du Lot, ils lui avaient accordé un ascendant poétique, une aura de maître spirituel qu'elle s'était amusée à jouer, en lançant des maximes de bonheur qu'elle avait, si souvent, oublié de suivre pour elle-même et dont elle savait qu'elles dataient d'une autre époque. Puis, dans l'élan de leur confiance presque amoureuse, ils l'avaient invitée au Tivoli, pour fêter avec elle leur fin de stage, leur entrée dans la vie. Mais elle les avait quittés dès que les organisateurs de la conférence l'avaient conviée à les suivre. Alors que la voiture tournait au bout de l'allée de marronniers, elle avait aperçu le garçon qui, immobile sous l'arc d'ampoules roses du Tivoli, semblait s'être posté là, à l'écart de ses camarades pour que ce fût de lui seul qu'elle gardât l'image, avec, dans les yeux, le reproche un peu dur qu'elle ait renoncé si vite à ce rôle de guide, qu'il lui avait spontanément donné, et, à la main, la première carte de visite qu'il venait de faire imprimer, dont il était si fier et que, dans sa hâte, elle avait oublié d'emporter. Peut-être, pensait-elle, avait-elle été aimée plus que ce qu'elle avait jamais imaginé, aurait-elle dû admettre, pardonner davantage l'amour qu'on lui portait.

Il disparaissait, entraîné par Françoise qui l'intégrait de force dans un groupe dans son souci de réunir, son obsession du collectif. La Maison était un grand corps, disait-elle volontiers, chacun en était un organe vital, essentiel, connecté en permanence aux autres (les éléments malades, inutile de les évoquer : ils tomberaient d'eux-mêmes), il fallait sans cesse mettre en commun toutes les énergies, multiplier les occasions de se retrouver, ici, dans des fêtes qui, grâce à elle, deviendraient mensuelles ; dans le séminaire de prospective qu'elle organisait au printemps dans un hôtel de La Baule ; dans le déjeuner pour tous, à Noël, sur le bateau amarré au quai de Bercy, qu'elle avait déjà réservé et qui voguerait ensuite sur la Seine pour une « croisière d'idées » — cet événement de fin d'année qu'elle annonçait de tous côtés pour éclipser définitivement Claire qui, près des Anciens regroupés, silencieux et blessés dans l'ombre des passerelles, se tenait très droite dans son effort de vétéran, aux décorations éteintes, qui tentait malgré tout de rester en première ligne. Élisabeth aurait voulu s'élancer vers elle, la défendre, rappeler les sacrifices de ses dimanches et de ses nuits, son dévouement discret, sans tambour ni trompette, à l'égard des auteurs, l'amour avec lequel elle aidait les débutants à subir leur baptême du feu. Mais Claire lui faisait comprendre, dans un demi-sourire, que ce n'était pas grave, que tout ce qu'elle demandait, c'était qu'on lui gardât un contingent, même réduit, d'écrivains dont elle continuerait à porter les couleurs, qu'elle n'entendait presque plus les rires de Françoise qui, là-bas, renchérissait, telle une dauphine surexcitée, par ses démonstrations d'adoration flambante à l'égard des invités, dans son imitation de Viviane, l'emportait presque sur le modèle, et oubliait simplement, dans son apprentissage précipité du pouvoir, que Viviane savait ménager, entre deux élans de séduction tapageuse, des moments de silence, de pudeur mystérieuse, hautaine ou menaçante qui domptait plus sûrement encore celui, ou celle dont elle avait décidé qu'il lui appartiendrait.

Et voilà qu'arrivait enfin Robert Müller, le jeune écrivain autrichien, « son » auteur. Viviane s'élançait aussitôt vers lui, le coupait instantanément de la jeune fille avec laquelle il s'était attardé en revenant à pied de la Maison des écrivains. Elle l'amenait vers le grand escalier, lui prenait les épaules avec un air de ravissement conquérant et soulagé, telle une mariée éméchée et déjà vieillie sur les marches d'une mairie, et dont on sentait, à son expression d'extase fanée, qu'elle avait conquis de haute lutte son jeune époux. Elle ne se lassait pas d'offrir aux flashes des photographes son visage épanoui, dilaté par la conviction d'être apte, désormais, à tous les triomphes, avec

d'autant plus d'empressement et d'orgueil démons-
tratif qu'elle se vengeait, aux yeux de certains, de
l'époque assez proche où elle venait de perdre, par
un excès de dettes, sa propre Maison, où on la croyait
finie en même temps que ses murs et les livres mis
aux enchères.

« Tu te souviens du soir où nous l'avons vue sortir
du Grand Hôtel », me disait Élisabeth : elle restait au
bas des marches, dans les derniers reflets de la réception, à laquelle elle avait assisté pour sans doute
nouer d'autres contacts, tenter de remonter la pente,
sous la neige qui, en recouvrant d'abord les socles
des déesses en stuc, semblait les détacher de leur
piédestal, les élever vers le ciel de Paris, une main
appuyée à peine sur la portière d'un taxi, sans se
rendre compte que quelqu'un le lui prenait déjà,
chavirée, déséquilibrée sur ses hauts talons après le
départ de la voiture, comme étourdie, paralysée par
les rafales et la conscience de sa solitude. Elle laissait
passer, un à un, tous les taxis, aveugle aux signes que
lui adressaient les chauffeurs, étonnés par la splen-
deur égarée de cette femme qui, dans sa robe de soirée, trempée par les flocons et les tournoiements de
son amertume échevelée, avait maintenant l'allure
d'une bohémienne de luxe, d'un mannequin dépassé
qui venait de participer à un dernier défilé dans les
salons du Grand Hôtel et ne se résignait pas vraiment
à ce que tous les projecteurs se fussent éteints der-

rière elle, à ce que même pas une petite main spécia-
lisée dans les raccords ne la raccompagnât après ses
adieux à la mode. Mais, soudain, reconnaissant les
voix de ceux qui riaient de sa chute, galvanisée par le
souvenir des temps morts qu'elle avait dû traverser
depuis son arrivée à Paris, elle se raidissait, retrouvait
sa hauteur radieuse et provocante, montait dans le
premier taxi où, derrière la vitre glacée, elle se mettait à sourire à la pensée euphorique qu'elle triom-
pherait un jour, ailleurs, dans une autre saison :
c'était aujourd'hui.

« Il me considère comme quoi ? Comme une hi-
rondelle de buffet ?... une passante venue quéman-
der un peu de chaleur et de lumière, alors que tout
est glacé dehors ? » disait Suzanne, en voyant Vernes
accomplir un détour pour l'éviter. Et puis, plus fort,
pour l'atteindre, même de loin : « C'est devenu Chi-
cago, ici, on revient au temps des petits Parrains... »
Élisabeth lui enviait cette jubilation — comme si elle
avait dépassé le cap de tous les désenchantements,
conclu avec elle-même une sorte de pacte de scepti-
cisme intégral à l'égard du monde — avec laquelle
elle vérifiait un cynisme social, dont elle se moquait
presque d'être, aujourd'hui, la victime après avoir
reçu à son tour sa lettre d'éviction : elle savait qu'on
la jugeait « inutilisable », qu'on estimait qu'il était

devenu impossible de la contrôler et que la succession des deuils qu'elle avait subis coup sur coup dans les derniers mois avait fini par lui faire « perdre la tête ».

Elle avait été bouleversée le soir de la messe anniversaire que Suzanne avait donnée à l'église de Saint-Germain-des-Prés, en souvenir de sa petite-fille Érika qu'elle avait élevée, éduquée seule, puis soignée, en la voyant s'approcher de l'autel pour communier, chancelante — si maigre, de chagrin épuisé — dans ses boots trop grands de daim noir, le fuseau bleu sombre épousant les angles osseux de ses genoux qui semblaient se déboîter à chaque pas, le vieux blouson, de cuir clouté, de rockeuse fatiguée, bâillant sur ses épaules, sans doute les derniers effets d'Érika, qu'elle avait revêtus dans un mouvement d'identification pathétique et comme si, renonçant à son allure de demoiselle du Sud et ne se souciant plus de quelque apparence que ce fût, elle usait de sa tenue de Valseuses fanées comme d'un défi désabusé qu'elle adressait aux femmes amies, agenouillées dans leurs manteaux de fourrure et étalant, dans la pourpre d'écrin du rebord des prie-Dieu, leurs bagues embuées, lorsqu'elles s'inclinaient, par les larmes d'une peine mécanique et de ce qu'elles imaginaient de regrets pour le jour de leurs propres obsèques. Elle levait les yeux vers l'ancien bureau du vieux Lantier qui venait de s'éteindre, là-haut, au milieu de la seconde galerie, et avec cette confiance presque espiègle qu'elle n'avait qu'avec Élisabeth — comme quand, étourdie par les chartreuses, sa valise bourrée de manuscrits posée à côté d'elle, elle multipliait les aveux au café de la Paix où elles déjeunaient ensemble avant le comité — elle lui racontait, en lui prenant la main, qu'un soir, après avoir publié son premier roman, il y avait donc longtemps, le vieux Lantier l'avait appelée dans son bureau, lui avait dit qu'il avait un cadeau pour elle. C'était un pyjama brodé. Elle se souvenait du col de satin rose, du bouillonnement de dentelle du corsage sur lequel elle était restée longtemps penchée sans rien dire, en se demandant si elle devait prendre ce pyjama de gala pour un gage d'estime professionnelle, d'amitié ou peut-être d'amour. « Ce n'est jamais allé plus loin », disait-elle à Élisabeth avec un mélange de regret, d'étonnement et de reconnaissance que tout fût resté en suspens, que leur relation, de respect mutuel et ébloui, n'ait jamais été altérée (c'était, au fond, son « jamais dans le métier » à elle) au cours de toutes les années de travail en commun. Elle ajoutait simplement que, lors de leur dernière rencontre, après qu'ils avaient dîné ensemble dans l'un des salons du Petit Riche et qu'elle l'avait regardé s'éloigner dans la nuit de la rue Laffitte, avec sa démarche à la fois orgueilleuse et cassée de vieil empereur blasé qui ne se souciait plus du devenir de ses conquêtes, il était revenu sur ses pas, l'avait prise quelques secondes dans ses bras, puis embrassée sur ses yeux fermés comme s'il avait voulu lui dire adieu. « Il m'attend... », disait-elle brusquement, en parlant de son chauffeur, son préféré parmi les anciens amis d'Érika qui l'attendait, là-bas, dans l'impasse. Elle traversait très vite la salle, courait presque jusqu'à lui. Il l'aidait à monter sur le siège arrière de sa moto, veillait, en lui mettant le casque, à ne pas abîmer l'ordre de ses cheveux blancs, l'amènerait sans doute après dîner ainsi que tous les soirs, comme aujourd'hui, où elle ne voulait rien laisser perdre de ce qu'Érika aurait dû vivre, passer les mêmes nuits blanches qu'elle, connaître les sensations, parfois violentes, qu'elle avait dû éprouver, à La Scala, au Queen ou à La Locomotive, où elle buvait tous les verres qu'on lui tendait, où elle respirait, haletante, perdue, dans un émerveillement forcé, des fins de poudres, se mettait à danser, gauche, démantibulée, mécanique — ses petits poings serrés martelant l'air en désordre, ses lèvres cognant, malgré elle, contre le torse nu et mouillé de cet homme, de cet inconnu qu'Érika avait peut-être rencontré, aimé une nuit et qui l'avait condamnée — jusqu'au petit matin où son jeune chauffeur la raccompagnait rue du Hameau, son blouson soulevé par le vent, à demi endormie sur son épaule, telle une doublure exténuée par un tournage de nuit, et la faisait tourner plusieurs fois autour des fontaines et des lumières de la place de la Concorde comme dans une *dolce vita* du troisième âge.

Peut-être avait-elle puisé auprès de Suzanne cette liberté acide avec laquelle elle répondait à chacun, qu'elle semblait s'autoriser enfin puisqu'elle n'avait plus rien à perdre. Elle avait déjà un sourire à moitié moqueur en voyant surgir devant elle un ancien « admirateur » qui, jadis, après lui avoir promis de la rejoindre, un 15 juillet, dans la maison qu'elle avait louée à Majorque, avait disparu, ne lui avait pas donné le moindre signe de vie de tout l'été : s'il s'était dérobé ainsi, lui expliquait-il maintenant, cela avait été par peur de souffrir, d'être considéré par elle comme un simple camarade, juste un compagnon de voyage, alors qu'il l'aimait en secret et, depuis, n'avait jamais osé le lui avouer. Il avait attendu le moment où — « Je vais mourir », le coupait-elle avec une brusquerie presque euphorique avant qu'il n'abaissât le bras, avec lequel il s'apprêtait à l'étreindre, ne la regardât avec une sorte de compassion interloquée, d'admiration devant une telle légèreté dans la douleur, le remords accéléré de sa propre maladresse et l'appréhension que son aveu étourdi ne l'entraînât dans un engagement, un lien de la dernière heure qu'il n'avait pas prévu, ne lui valût un rôle de garde-malade, obstinément fidèle, que le semblant d'amour, qu'il regrettait d'avoir confessé, et peut-être même d'avoir éprouvé un jour, ne justifiait pas. Il s'éloignait, essayait de se noyer parmi les invités, en titubant, en accentuant son vertige pour qu'elle mît son abandon, sa révélation sur le compte de l'ivresse, du énième verre de champagne qu'il prenait sur un plateau, préférant qu'elle emportât l'image d'un soiffard excité de cocktail.

« À quand le prochain livre ? » lui demandait-on par réflexe, sincérité parfois. « Mais très vite, maintenant, très vite », répondait-elle presque en riant : ça ne l'atteignait plus en plein cœur, elle n'avait plus le souffle coupé comme quand, au début de sa maladie, elle pensait soudain à tous les romans qu'elle n'aurait pas le temps d'écrire, et qui reposaient en elle comme de grands brûlés, inaccessibles et muets dans leurs chambres obscures ; ça allait se perdre plus loin, dans cette zone intermédiaire où commençait à s'évanouir le besoin — avec un dernier texte, où elle aurait tout mis de sa vie — de quelque chose qui se serait refermé, bouclé sur soi-même, d'une harmonie finale qui n'était peut-être qu'une invention littéraire et religieuse ; où disparaissait la jalousie malheureuse qu'elle aurait pu éprouver à l'égard de ceux à qui — même s'ils étaient, comme les Anciens, humiliés, condamnés à aller de maison en maison — il restait des années pour vivre, écrire et aimer ; où s'effaçait même le regret de cette sorte d'insouciance qu'avec un peu plus de confiance en elle-même elle aurait pu avoir depuis toujours. « À quand une nouvelle de vous ? » lui demandait le directeur d'une revue qui pensait, sans doute, que la forme brève convenait mieux à son état — « j'en ai tellement d'avance »,

souriait-elle. « Ah, bon, vous êtes inspirée, en ce moment ? » lui disait-il, presque surpris. « Je ne l'ai
jamais été autant, je crois », et il reculait un peu
comme s'il redoutait soudain qu'elle ne le submer-
geât du moindre de ses écrits dans les prochains
mois.

« À quand votre venue dans notre prochain colloque ? (— Mais quand vous voudrez...) lui demandait le responsable de l'association « Lire pour tous »,
j'aime tellement vos interventions... » qu'il n'écoutait
pas : à peine était-elle montée à la tribune pour s'exprimer à son tour au cours de leur séminaire au
casino de Biarritz, elle l'avait vu se lever, filer avec son
portable dans l'ombre des salles de jeu, puis vers la
plage et les lumières des terrasses : « À quand un
autre entretien avec vous ? (— Fixons la date, dès
maintenant...) » lui demandait le journaliste tout-ter-
rain qui, dans son studio, près de la porte de Vanves,
avait juste saisi, quand elle était arrivée, une fiche sur
ses livres et sa vie, qu'il avait à peine pris le temps de
parcourir en ajustant ses écouteurs pendant la
musique du générique de départ avant d'estropier à
toute allure la plupart de ses titres : « À quand, à nouveau, une soirée avec vous ? (— La semaine prochaine, si vous le désirez...) » lui demandait l'auteur,
dont elle avait fini par accepter une invitation dans
un restaurant du quartier et qui, après avoir essayé de
la piéger sur des détails du manuscrit qu'il lui avait
remis (le énième tome d'une saga militaire) pour

s'assurer qu'elle l'avait bien lu avant de le transmettre au comité, n'avait parlé que de lui, tout en répétant, en scandant toutes les cinq minutes, que « sa vie, c'était les autres », « sa passion, écouter ». « À quand de vous atteindre enfin ? » — mais elle ne répondait plus — lui disait une ancienne « relation amicale » qui se plaignait de ses incessants changements d'adresse, de ne jamais parvenir à la joindre au téléphone, qu'elle restât aussi irrégulière, nomade, sans ancrage — lui à qui on avait tout donné, qui considérait que réussir, c'était s'assurer, à chaque étape, de ce qu'on avait, avancer par paliers. « À quand un signe de vous ?... Vous disparaissez si souvent... On ne vous voit plus dans Paris... Vous êtes une oublieuse, vous savez... », lui lançait, avec le narcissisme désinvolte de ceux qui, persuadés d'être en tout le centre de gravité, considéraient le moindre éloignement de leur sphère comme une faute, une aberration, n'imaginaient pas que la vie pût vous déporter ailleurs, l'abonné des salons qui, ne remarquant même pas ses traits bouleversés, ses yeux aveuglés de fièvre et sa main qui serrait la mienne, comme jamais, pour ne pas tomber, tournait déjà le dos, grisé par l'éclat de ses reparties et de ses mots d'esprit dont il avait vérifié l'effet dans un dîner de la veille ; à quand, à quand le terme de vos éclipses, de vos départs, de vos abandons, de vos absences à tous ces rendez-vous que l'on fixait plus ou moins pour vous, la fin de votre obstination à vous effacer, à perdre sans cesse. Mais ce n'était jamais — elle le pensait en baissant les yeux : à quand de vous aimer, de vous entourer, de vous accompagner, de vous pardonner, de vous rattraper s'il vous arrivait de partir trop loin, d'oublier tout ce que vous n'aviez pas fait, de ne rien dire, de rester simplement en souriant un peu avec vous, avant de vous prendre dans les bras, de vous entraîner — comme si vous étiez encore au début de la vie, dans la salle des Fermaillés d'Or, un soir de fête d'automne — vers la nuit sans question, sans délai.

Alors une sorte de silence descendait dans la salle. Il semblait que les voix se tamisaient, que moins en moins de verres s'entrechoquaient, que les bouquets perdaient, un à un, leurs couleurs, devenaient pareils à ceux d'une fin de vieil anniversaire. C'était Alain qui descendait le grand escalier, après avoir quitté son bureau pour toujours. Il pianotait sur la rampe, peut-être quelques notes de l'un des fados qu'il improvisait au piano, à la fin des petites réceptions qu'il donnait, avant, dans son appartement du boulevard Lannes (et elle se souvenait de la première soirée, à laquelle elle avait assisté, quand, l'écoutant jouer au loin, elle était d'abord restée près de la fenêtre ouverte sur les tilleuls que commençait à tremper la pluie d'automne — par timidité, appréhension d'apparaître gauche, muette, dans son tailleur désuet de soie beige, acheté aux Élégantes de Sologne, arrivant d'un dimanche de province au milieu des invités dont elle s'exagérait, s'imaginant n'avoir pas le don de la réplique, n'être pas assez rapide et gaie pour leur répondre à bon escient, le brillant et les privilèges, parce que, aussi, elle se retenait déjà de l'aimer depuis qu'elle l'avait entendu dire : « Jamais dans le métier » à quelqu'un qui, à la Maison, le plaisantait sur la beauté d'une très jeune stagiaire qu'il venait d'engager. Puis elle revenait insensiblement, comme à son insu, vers lui, appelée par la douceur de moins en moins amère et sombre des notes, chaloupant à la fois de désir suspendu, de regret incertain, d'éloignement pas tout à fait consenti, de calme anticipé — telle une voyageuse qui, déambulant sur le pont d'un navire, se demandait si elle avait raison, ou non, de quitter une terre qu'elle aimait et qui tardait à s'effacer. Elle s'arrêtait derrière l'aile du piano, se penchait légèrement pour regarder les mains d'Alain qu'elle avait effleurées dans l'après-midi, au moment où elle signait près de lui les exemplaires de son premier contrat et dont elle avait rêvé qu'elles se posent sur son corps nu dans la tiédeur rose et grise de la chambre de l'hôtel de la Madeleine où elle était descendue, en arrivant, le matin, d'Aubigny et au seuil duquel il l'avait raccompagnée, lui précisant, une fois de plus, toutes les étapes jusqu'à la sortie de son roman, énumérant, comme s'il craignait qu'elle ne disparût entre-temps, toutes les dates où ils devaient se revoir, et prenant cet air exagérément sérieux, concentré qui masquait toujours chez lui l'éblouissement sensuel et la tentation de l'amour. Et puis Suzanne l'avait appelée, avait aussitôt sorti de son sac, pour la lui montrer, la photographie de sa petite-fille, Érika, qu'elle élevait seule, avec qui elle venait de passer l'été dans sa maison de Ramatuelle (qu'elle avait acquise grâce à l'avance pour plusieurs livres que lui avait accordée le vieux Lantier) et qui dansait sous les platanes constellés de lampions d'un bal du 14 juillet. « Elle est très belle, n'est-ce pas ?... disait-elle, elle va en faire battre, des cœurs... Je suis sûre qu'elle va avoir une merveilleuse jeunesse... » Elle s'était laissé ensuite entraîner par Conrad qui la prenait sous son aile, l'invitait déjà en Équateur où — disait-il, avec cet orgueil nonchalant, comme distrait, l'embarras grisé de ceux qui, ayant longtemps vécu dans les marges sulfureuses de la société, se voyaient soudain attribuer une fonction officielle — il venait d'être nommé attaché culturel ; il ne serait pas loin de la Ceinture de feu : ces mots qui semblaient l'enflammer à nouveau d'un désir de vie rapide et calcinée, de chute flamboyante au bout du monde ; par Abdallah Azar, qui lui proposait de participer à une croisière littéraire en Méditerranée, à travers les Échelles du Levant, d'écrire ensuite ses impressions, si elle en avait le temps, dans la *Revue du Liban* qu'il était en train de ressusciter ; par celle qui se présentait d'emblée comme la descendante de Riès, le négociant du

Harar, qui avait jadis employé Rimbaud dans son comptoir, prétendait détenir une correspondance inédite entre le poète et son arrière-grand-père, qu'elle lui confierait un jour, ajoutait-elle, et qui prenait, dans le hiératisme voluptueux de son maintien, le chignon piqué d'immenses aiguilles d'or, dont on s'écartait autant par respect que par peur d'être éborgné, des poses de reine de Saba contemporaine ; par Nicole Simonard — le pétillement vert, intrigué et rieur de son regard adoucissant ce que pouvait avoir d'un peu trop strict son tailleur anthracite et droit de banquière —, suivie par une cohorte d'hommes qui s'inventaient parfois des plaquettes de jeunesse pour être admis, afin d'avoir une chance de l'approcher davantage, de recueillir peut-être un reflet de l'amour absolu qu'elle vouait, disait-on, à son mari depuis trente ans, dans son Cercle poétique (« Un caprice », disait-elle en riant, pour donner, par pudeur, un côté lunaire à son mécénat) et dont elle se détournait pour venir lui prendre le bras, lui demander de l'aider à organiser sa première Académie d'été, où elle réunirait les écrivains qu'elle aimait, dans sa villa du Lys rouge, sur la côte de l'Esterel : « Vous pourrez venir y passer tout l'été, si vous voulez... Vous aurez une chambre sur la mer... Nous vous ferons simplement signe de temps en temps... », comme si elle avait deviné chez Élisabeth à la fois le désir de solitude et celui d'être protégée, même de loin, du fond d'une maison, d'où il suffisait qu'on l'appelât une ou deux fois pour se sentir aimée. Par Vénus, dont elle avait aussitôt perçu — sous les incantations de pythie mondaine et la comédie blanche de sa vaste étole de soie qu'elle déployait au-dessus de ses épaules nues comme une bannière de gala militaire avant de fondre sur un invité qu'elle achevait d'étourdir par ses ondulations de voix et de hanches — la vaillance terrienne, de fille d'infirmière d'un village de la région de Faraya, la rudesse généreuse, cette tendresse révoltée et blessée avec laquelle elle lui dirait, au bord des larmes, dans un coin du salon, évoquant son frère interné depuis des années dans un asile du mont Liban : « Il n'y a que ma voix qu'il entende... Pourquoi est-ce lui que Dieu a voulu punir ?... » Vénus l'appellerait, dès ce soir-là, sa « petite sœur », l'emmènerait, quelques semaines plus tard, dans ce voyage de saltimbanques à travers les Émirats où elles trimbalaient de ville en ville — succédant le plus souvent, d'ailleurs, à un couple de mimes, dont elles semblaient constituer la fin de programme — la malle de cirque, bourrée de poèmes, que Vénus proférait d'abord — comme si elle voulait être entendue jusqu'au fond du désert —, projetant, à mesure, son buste au-dessus de la table, son bras droit tendu, au bord du déséquilibre, vers un trapèze invisible qui aurait flotté dans l'obscurité brûlante, et ne recueillant, au bout de son exercice d'acrobatie, que quelques applaudissements flapis d'un public de femmes d'ingénieurs qui, épuisées par leur exil torride, semblaient, les yeux mi-clos, rêver de villes glacées et de soirs de neige sous les pergolas de ces instituts perdus où venaient mourir les reflets des flammes des champs de pétrole — avant de courir, la dernière nuit, pieds nus, en s'extasiant devant la nuée des fils du radar central, sur les coursives du croiseur amarré dans la baie de Djedda où elles avaient été invitées par un amiral précieux et pâle qui, espérant gagner auprès d'elles des galons littéraires, avait déclamé, à la fin du dîner, des strophes entières d'*Amers*. Elle s'était sentie portée par les cercles d'estime, presque d'amour, sans s'apercevoir que c'était l'aube, que le soleil glissait déjà sur les bouquets et les canapés vides, les aiguilles d'or que, là-bas, dans le vestibule, la descendante de Riès retirait, une à une, de ses cheveux, dans un geste las de reine solitaire qui renonçait à ses emblèmes de fin d'empire et prenait à la main comme des fleurets de duels inaboutis. Alain s'était approché d'elle, l'avait emmenée vers le balcon et, regardant bouger dans l'ombre des tilleuls du boulevard la lueur jaune de la chemisette du compagnon de Conrad qui l'accompagnerait vers la Ceinture de feu, lui avait dit : « Nous allons travailler ensemble toute la vie, n'est-ce pas ?... »)

Peut-être était-ce ceux qu'il avait si souvent invités à ces soirées, qu'il avait le plus aidés en leur ménageant des rencontres nécessaires à leur carrière, en les écoutant, en leur prodiguant des conseils jusqu'au petit matin, qui souhaitaient secrètement qu'il descendît au plus vite afin de se délivrer de la gêne, qu'il suscitait en eux, de trop leur rappeler ce qu'ils lui devaient, se délester du remords passager de l'avoir laissé éliminer, d'avoir même participé en sourdine au concert des accusations programmées, à la rumeur des torts fictifs, des fautes imaginaires qu'on lui attribuait pour achever de se convaincre qu'on avait raison de l'écarter. Certains de ceux qui étaient alignés sur les galeries le regardaient descendre avec une sorte de compassion ennuyée, de pitié hautaine — tels des passagers d'une croisière s'étonnant, s'indignant presque que leur paquebot fît une escale imprévue pour permettre à un passager inconnu, de seconde zone, de débarquer sur l'îlot de terre ingrate et dure où il habitait, et qu'ils étaient déjà pressés de ne plus distinguer. Il y avait une telle dignité intraitable, un tel calme impérieux dans son maintien, un tel fatalisme princier — mais peut-être aussi, grâce à ce narcissisme acide qui était, chez lui, une élégance, une défense, un art secret de durer, souriait-il intérieurement en se voyant avancer comme dans un petit Guépard de l'édition, composer, pas à pas, le personnage d'un prince Salinas de bureau — que, lorsqu'il rencontrait enfin le regard de Viviane, elle reculait un peu, comme légèrement ébranlée, prise de vertige devant l'effet de ses propres manœuvres, parcourue par un frisson de respect rétrospectif, puis par cette inquiétude que l'on a devant un ennemi que l'on se repent de n'avoir pas terrassé davantage, auquel on regrette d'avoir laissé une marge de liberté, une respiration suffisante pour lui permettre de ressusciter un jour.

Cette respiration, dont elle semblait avoir manqué, elle aussi, le soir de mai, au festival de Cannes où, après l'échec de la projection du film « équestre », qu'elle avait, en partie, produit — l'album, très luxueux, qui l'accompagnait et qu'elle avait tenu à publier, risquant donc de ruiner bientôt la Maison —, je la voyais descendre les marches du Palais en essayant de se fondre dans la foule des invités qui se dirigeaient vers la plage du Majestic, où avait lieu la fête tzigane. Sur le fond sonore de parade sauvage, assuré par les hennissements des chevaux que les écuyers de cinéma, chargés de la promotion équestre du film, excitaient dans l'ombre de l'extrémité de la plage et qui redoublaient maintenant sous les flashes des photographes qui avaient décidé de leur consacrer toutes leurs bobines — « c'étaient les seuls acteurs à sauver du film » disait-on avec une précipitation féroce et ravie —, elle apparaissait entre les tentes et les feux, dans son fourreau de soie noire, dont le scintillement des pierreries brodées sur le bustier jurait avec la pâleur énervée de son visage et l'incertitude de sa démarche — comme si elle n'arrivait pas à choisir entre une allure de défi, de royauté provocante ou d'infirmité assumée et valeureuse. Elle tendait la main pour, dans un geste d'appropriation mécanique, caresser la nuque de Jean-Paul Vernes qui marchait devant elle, les yeux rivés sur le rouge du tapis de gala, avant qu'il ne se dérobât, ne détournât la tête, dans un mouvement exaspéré et presque hostile, repérant de loin un groupe de relations, d'amis peut-être, qu'il pourrait rejoindre afin de se soustraire à elle, de mettre un terme à une alliance qu'il ne lui paraissait pas opportun d'afficher davantage. Viviane croyait que c'était le début de sa disgrâce, semblait rechercher autour d'elle quelqu'un qu'elle pourrait rendre complice et, pourquoi pas, responsable de l'échec de ses stratégies, mais elle ne rencontrait partout que des regards et des visages déjà fuyants. Et voilà que, dans l'odeur de sciure et de paille de manège mouillé, de vin et de cendres, de sabots et d'éperons brûlants, de harnais fiévreux et de cuir salé de selles tombées, elle se mettait à courir derrière les tentes comme une écuyère honteuse qui venait d'être éliminée pour une entorse au règlement et n'était pas sûre de participer à une nouvelle compétition avant plusieurs saisons. Elle allait se réfugier dans la partie la plus obscure de la plage, où son mari l'attendait avec l'indulgence d'un juge aux allures qui était prêt, lui, à fermer les yeux sur l'erreur d'obstacle, la faute de parcours qu'elle avait commise, et pourrait peut-être intervenir pour lui permettre de reprendre, plus tôt que prévu, son numéro de haute voltige. Il semblait d'abord déconcerté, presque déçu d'être réduit à jouer, comme au début de leur relation, le rôle de consolateur argenté, de n'être plus que le voyeur de son chagrin en la regardant s'agenouiller devant lui, sans se soucier de ce que le bas de sa robe fût atteint par une fin de vague, puis incliner, déposer la tête entre ses genoux dans un geste d'abandon désemparé et de soumission épuisée, qu'il ne lui avait jamais vu. Il se penchait, lui chuchotait des souvenirs de triomphes, lui rappelait les projets, les perspectives de combats enflammés qu'elle s'était promis d'engager dans les prochaines années afin qu'elle retrouvât son besoin de performances, son désir de conquête et d'exploits, redevînt celle qui le cravachait de son rire impérieux, de ses répliques de désinvolture cinglante qu'elle lui lançait avant de partir sous ses yeux, de descendre l'escalier de leur hôtel particulier de la rue de Lille avec un autre homme, ou une femme parfois, auxquels il enviait déjà, en les imaginant point par point, pour mieux en souffrir, toutes les formes de la jouissance qu'elle allait leur procurer. Mais elle demeurait immobile, la tête posée sur ses genoux, et on aurait dit — tandis que les musiciens rengainaient les violons dans leurs étuis et s'éloignaient pour aller honorer un autre contrat de nuit, qu'on emmenait les chevaux enfin calmés, que les projecteurs s'éteignaient au-dessus du sable vide — un plateau déserté par une seconde équipe, chargée d'assurer les derniers raccords d'un film et abandonnant derrière elle la comédienne novice et exaltée qui, confondant encore le jeu et la vie, semblait abîmée dans une scène d'un pathétique excessif et surjoué.

En la forçant à se relever, il la tirait enfin de cette hypnose de défaite, lui prenait le bras pour qu'ils reviennent ensemble dans le noir, le long de la mer. Ils ne s'apercevaient pas qu'ils arrivaient à la hauteur d'Alain. Elle reculait d'abord, dans un réflexe de gêne affolée qu'il la vît ainsi, les cheveux bouleversés, le bas de sa robe trempé et, sans doute, au bord des yeux, les larmes qu'il était trop tard pour effacer. Puis elle le regardait, étonnée de ne pas découvrir sur son visage la moindre lueur d'une volupté de vengeance qu'elle n'aurait pas manqué d'éprouver elle-même. Parce qu'elle n'arrivait pas à évaluer le degré de pouvoir qu'il avait pu éventuellement retrouver en l'espace d'une soirée, ni mesurer l'ampleur des efforts qu'elle devrait elle-même accomplir pour remonter la pente de sa disgrâce, elle se demandait si cela valait vraiment la peine qu'elle se hâtât de manifester un désir d'abdication, une volonté de repentir — ce mot qui lui faisait horreur et que, dans l'arsenal de ses ruses éplorées, elle avait toujours décidé de n'utiliser qu'en dernier recours. Et c'était lui qui, avec une élégance un peu triste, se penchait pour recueillir sur le sable l'étole de soie parme — où était brodé un cavalier impassible et solitaire qui tendait une lance d'or — que, dans son balancement nerveux entre la tentation de la sujétion et l'orgueil, peu à peu renaissant, de ses propres forces, elle avait laissé tomber. Parce qu'il aimait, par-dessus tout, que la vie s'équilibrât dans des cycles de douleur et de grâce, de combats et de paix, d'abîmes et de lumière, il espérait, en lui en enveloppant les épaules sous le regard de jalousie comblée de son mari, qu'elle se souviendrait, elle aussi, du jour où, alors qu'il revenait de l'enterrement de Conrad, qu'on avait ramené de la Ceinture de feu, et qu'il s'attardait pour cacher sa peine dans l'obscurité du vestiaire de L'Entracte, au bas de l'escalier de la salle où tous les représentants l'attendaient pour le déjeuner d'avant Noël, elle s'était approchée, avait rétabli, sous le col de la chemise, la cravate que, dans son chagrin, il ne s'était pas soucié d'ajuster et, tout en lui chuchotant des mots de réconfort, avait caressé, avec une tendresse inquiète, le bord de sa veste pour effacer sur le tissu, à l'endroit de l'épaule, les traces des larmes des compagnons de Conrad qui s'y étaient appuyés, retirer l'odeur de tombes dans la bruine froide des Ardennes, de médaillons mouillés par l'hiver, d'attente glacée, de feux qui brûlaient dans les champs voisins et de cosmos maritimes dont il avait déposé — comme pour lui donner une ultime impression de départ et d'été — l'immense bouquet sous les dates gravées de sa naissance et de sa mort, dont il avait été étonné qu'elles fussent si rapprochées, comme s'il y avait eu une erreur, comme s'il n'avait été qu'un enfant.

Elle ne savait pas — alors qu'elle le regardait, soulagée, achever de descendre l'escalier latéral, ouvrir la grande porte, s'effacer déjà dans l'impasse — qu'il ne l'avait jamais haïe, qu'il ne lui avait jamais reproché qu'un manque de distance à l'égard de sa propre ambition, qu'il avait toujours vu, derrière sa vitalité tueuse, son âpreté conquérante, sa maîtrise parfaite d'excellente gestionnaire de la vie, une douleur presque intacte, qu'elle lui avait révélée, un soir où elle avait trop bu au café de la Paix : le souvenir de son père emmené, alors qu'elle n'avait que sept ans, par les hommes de la Stasi, dans la neige qui tombait sur Leipzig, et elle qui, toute la nuit, cachée, dans le noir, derrière un arbre de la Bunderstrasse, avait essayé de deviner à quelle fenêtre, sous quelle lampe encore éclairée de l'hôtel de la police, il allait crier, et bientôt mourir.

« On s'en va, maintenant ? » me disait Élisabeth en me reprenant la main. Et luttant contre la douleur qui lui revenait dans le bras, la peur de s'évanouir, de tomber, elle traversait les cercles des nouveaux alliés de Viviane qui redoublaient maintenant de rires, d'exclamations de joie, dans une excitation générale d'armistice précipité, le soulagement exalté de faire table rase d'un passé envers lequel il aurait été suspect — en s'affichant notamment auprès des Anciens — de concevoir le moindre regret, retardant, dans l'emportement de leur solidarité éphémère et triomphante, le moment où, repris par la fièvre des rivalités et la crainte des évictions futures, ils allaient recommencer à se battre les uns contre les autres, à chercher à se dominer, à s'anéantir — dès le lendemain matin, quand se serait dissipé le vertige d'effusion alcoolisée et que serait retombé le rideau de la comédie euphorique que, le temps d'une soirée, ils s'étaient donnée les uns aux autres, tels des comédiens qui, enivrés par leur succès, s'applaudissaient mutuellement à la fin d'une représentation.

Alors qu'Alain allait disparaître, dans la nuit, au bout de l'impasse, elle aurait voulu — si elle n'avait pas été, soudain, si épuisée, si elle n'avait pas senti se dérober ses jambes à la fois tétanisées et vides, et cru perdre son cœur, qu'elle cherchait à empoigner sous le revers de laine rose — courir vers lui, lui crier sa gratitude pour toutes les années où il avait veillé sur elle, pour tous les soirs où, se tenant côte à côte, là-bas, sous le porche, il calmait — en ajustant le petit fermoir doré du bracelet qui manquait se détacher, tant elle l'avait déplacé sans cesse sur son poignet — sa tension, qui venait moins du travail lui-même que de son excès de scrupules, de sa hantise de l'erreur, de sa peur d'avoir « fait illusion » comme elle le croyait, de son empathie surmenée avec les auteurs dont elle éprouvait si bien les humeurs et les tourments qu'elle finissait par se perdre de vue elle-même ; lui rappelait la justesse de ses décisions, sa facilité, ses dons qu'elle avait tendance à oublier, sa force, qu'elle avait pris l'habitude de dévaluer et — en promenant les doigts sur son cœur de grenat ou le col de sa robe ou de son tailleur — sa beauté, qu'elle s'était contentée d'apercevoir, en passant, comme si elle croisait une étrangère, dans l'une des trois ou quatre glaces un peu trop hautes et sombres de la Maison, lui donnait, par ce geste, la légèreté qui lui permettrait de s'éloigner, ardente, souple, confiante, décidée à marcher presque toute la nuit, se demandant seulement, là-bas, à l'angle du café de la Paix, où elle irait ce soir-là : vers la Madeleine ou Saint-Germain-des-Prés, à moins qu'elle ne remontât la rue Blanche vers Clichy ou les Batignolles — il y avait tant de destinations alors dans Paris.

Elle n'avait pas besoin de courir, en manquant s'écrouler à chaque pas : il l'attendait sous le porche. Il la voyait se rapprocher dans l'ombre, en évitant d'avoir un regard trop soucieux, trop prononcé sur ses traits malades, comme si sa pâleur n'était due qu'à la fatigue de la rentrée, de l'automne, des rendez-vous qui se multipliaient en cette période. « Vous avez toujours été la plus fidèle, la plus courageuse », lui disait-il doucement, quand elle arrivait tout près de lui. Il cherchait, par réflexe, sur son poignet, pour le rattacher, le fermoir du bracelet, mais elle ne le portait plus, sa main était devenue trop petite, trop maigre ; il aurait flotté, glissé de lui-même. « Je serai là, toujours... où que vous soyez... », lui disait-il, en lui prenant les épaules, « je continuerai à vous suivre... — À me lire aussi ? » lui demandait-elle, avec sa candeur inquiète de toujours. « Oui, lui disait-il, heureux que rien n'ait changé pour elle, de rester son premier lecteur... Je vous le promets. » Elle avait besoin de ce serment, de son regard qui l'accompagnerait, là-bas, sous la lampe, l'aiderait à terminer peut-être, entre deux séances de rayons, si elle ne souffrait pas trop, son roman avant Noël, seule et protégée de loin comme quand, enfant, malgré la fièvre, elle continuait à écrire dans la chambre obscure sur ses petits cahiers, dans le halo des lumières des Fermaillés d'Or, avec juste l'écho des pas de son père qui ne traversait le couloir que pour lui rappeler qu'il était là. Ils étaient obligés de se rapprocher, devant le panneau où commençait à s'éteindre, sous la pluie tiède, le bleu des livres exposés, de se tenir presque dans les bras à cause de l'averse, de tous les parapluies qui cognaient autour d'eux contre les pierres. Était-ce les reflets des faisceaux des projecteurs de gala sur le toit du palais Garnier qui, en s'abaissant, venaient les frôler ; leurs visages semblaient se joindre, leurs lèvres se rencontrer ; et c'était elle qui, en se détournant légèrement, en riant presque, lui disait : « Jamais dans le métier... », tandis que son front, à lui, s'inclinait, touchait le cœur de grenat. Un brouhaha montait du fond de l'impasse. Un groupe arrivait. Elle savait qu'il ne voulait voir personne. Un taxi passait. Il lui laissait lever sa main, si faible, où aucune bague, maintenant, ne miroitait, pour l'appeler. Il avait à peine le temps de nous dire, avant de s'en aller : « J'aurais au moins réussi à former un bon petit duo », de nous regarder main dans la main, sur ce bout de trottoir, comme si nous étions deux figurants solidaires d'une compagnie dissoute, d'une tournée finie, qui reprendrait la route sans son directeur de toujours.

Nous suivions du regard le taxi jusqu'à ce qu'il disparaisse derrière le Grand Hôtel. Il allait rentrer dans son appartement où il éteindrait tout, où, assis, seul, près du piano fermé, sous la fenêtre blanchie par les lumières des boulevards extérieurs, il laisserait retomber (comme cela lui arrivait parfois, très tard, dans le silence d'un café d'Alfama ouvert sur le ciel et les reflets des cargos de nuit qui partaient vers l'Océan et les Açores) l'excès de sang-froid, de contrôle, le défilé de tous les doubles, des représentations de lui-même, ces sosies impeccables qu'il n'avait construits, mis en avant que pour plaire à son père, apparaître, pendant des années, comme son « digne successeur » — ainsi qu'on l'écrirait peut-être dans la dépêche de l'AFP annonçant son départ — et qui, maintenant que tout était joué, ne servaient plus à rien, à la manière de ces figurines d'un théâtre de cire qui, soudain démodées, étaient retirées en un tour de main. Il regarderait de loin, connaissant la place exacte de chacun dans les rayons de sa bibliothèque, les plus anciens volumes, les livres du fonds, qu'il avait sauvés, dont il aimait caresser les multiples nervures inscrites dans le vieux cuir, avec l'extase tâtonnante d'un chercheur d'or suivant du bout du doigt, dans la nuit, le parcours d'une veine miraculeuse ; les romans des auteurs, qu'il avait découverts, dont il revoyait, un à un, tous les visages, le sourire d'appréhension ou de défi quand ils arrivaient à l'étage, qui croyaient tomber dans leur vie mais se relevaient toujours, continueraient sans lui, l'avaient déjà oublié peut-être ; les livres alignés de Conrad — et c'était de petites ceintures de feu qui montaient d'entre les pages, venaient l'entourer, l'emmenaient vers le seul climat qui lui convenait (et il se sentait pareil à un voyageur qui, débarquant sous les Tropiques, alourdi par la chaleur et le décalage, mettait des heures pour retirer un à un ses habits d'hiver), éloignaient l'écho de la pluie, la rumeur des dîners pleins de fleurs et d'esprit, le désir de rôle, de louanges et de prestige, la vanité de compter dans Paris, le souvenir de la propriété et de l'orgueil qu'il en tirait, l'illusion de créer à son tour, l'envie de reprendre — comme il l'avait promis à Élisabeth, un soir de janvier où il neigeait, où tout était rouge à L'Entracte — cet essai sur l'« idée du bonheur » (ce bonheur qu'il ne s'agissait plus de commenter mais d'essayer de vivre), qu'il n'aurait poursuivi, achevé que dans l'espoir qu'elle le lirait un jour, qu'elle le lui ramènerait, annoté, un

matin, en lui disant, assise à ses côtés et presque amusée de prendre les rênes à son tour : « On va travailler
ensemble toute la vie, n'est-ce pas... ? »

Elle aimait rester là, sur une banquette du Mirage — où elle avait voulu, malgré tout, que je l'accompagne, comme nous le faisions avant, le jeudi soir en général — à regarder de loin les silhouettes des derniers promeneurs dans la rue de la Boétie, l'ombre des rideaux de l'agence de voyages que l'on abaissait, l'extrémité des lumières du Val-d'Isère à côté (qu'elle aimait aussi pour son atmosphère de chalet de luxe, de dîner à mi-sommet, ses murs couverts de photos de vedettes posant, en lunettes noires, sur des plateaux de neige), le miroitement de l'éclairage de nuit dans la vitrine du magasin de bijoux fantaisie, qu'elle s'offrait d'habitude à la sortie d'un roman. Elle écoutait les petits bruits dans le cabaret désert à cette heure : le léger choc des glaçons dans une coupelle, le froissement du voile de papier qu'on retirait autour d'un bouquet qu'on apportait pour la soirée, le dévissement de l'ampoule d'une applique que l'on changeait — tranquille, presque heureuse, comme si elle retrouvait le silence d'un bar du quartier excentré d'une ville étrangère, à Berlin, dans le café de Vineta, là où on entendait à peine arriver dans les herbes qui recouvraient les rails, après le ring de Maïakovski, le dernier tramway ; à Stockholm, dans l'estaminet, au bout du quai de Grevgatan, d'où elle regardait, sur la Baltique — si unie, si lisse, comme si la mer s'arrêtait là, retardait le moment de rejoindre ses abîmes, les tempêtes de fin du monde — apparaître, sous les soleils glacés, les très longs paquebots silencieux, noirs et funèbres, des compagnies du Nord ; à Vancouver, à l'extrémité de Grandville Island, sur la dernière terrasse avant le Pacifique, où tout s'embrumait, dès midi, autour d'elle — les toits des théâtres, les hangars de canots, les bancs emplis de mouettes, les silhouettes des femmes en manteaux beiges, assises, en contrebas, sur les mâts des pins douglas couchés dans le sable. Et c'était peut-être cela qu'elle avait le plus aimé au monde, quand, tout au fond d'une ville, qu'elle s'était contentée de traverser, et une fois retombé le vertige de tristesse gênée qu'elle avait éprouvé en descendant de l'estrade d'un institut où elle avait eu l'impression de brader, dans l'impudeur minutée d'un entretien à propos des livres et de sa vie, ce qu'il y avait de plus intime et de meilleur en elle, elle ne pensait plus à esquisser la moindre rencontre, à aimer ou à écrire, ne se préoccupait plus d'être jugée ou même oubliée, laissait simplement respirer sa vie qui cessait d'être

asphyxiée par l'excès de tâches, d'obligations, de ser-
vitudes — qui ne laissaient plus aucune place à la
volupté du temps perdu — et que, courant à travers
Paris comme un petit soldat frêle et vaillant, toujours
pressé de monter en première ligne et s'imaginant
jouer, chaque fois, son honneur, elle s'évertuait à
assumer, par peur de ne plus être aimée, de tomber
dans une disgrâce que lui laissait présager le moindre
regard qui se détournait, le moindre sourire qui
s'éteignait devant elle. Peut-être le cancer avait-il été
pour elle la seule manière de dire : non, une fois, un
jour, de se justifier de ne pouvoir accomplir tout ce
que — profitant de sa faiblesse avouée, de sa sincérité
affolée, de ce dévouement instantané et immodéré
(qui la faisait se précipiter, pour y intervenir, dans les
écoles, les bibliothèques ou les maisons de retraite les
plus lointaines d'où elle revenait, le soir, arpentant
les boulevards de la périphérie, avec le bouquet qu'on
lui avait remis, qu'elle serrait contre son imper-
méable et qui lui donnait l'allure d'une vedette de
banlieue, perdue et trempée, que personne ne s'était
soucié de raccompagner après un concert d'après-
midi) — on exigeait d'elle, la seule manière de s'accorder enfin une pause : la seule, la dernière. Elle
dégrafait les manches de son chemisier, les relevait
par petits à-coups sur ses avant-bras, comme chaque
fois qu'elle voulait se donner une impression d'entracte et de gala. Mais la peau en était si pâle, si fragile, criblée de tant de traces de piqûres qu'on les

aurait dit revêtus de hauts gants, mal ajustés, très fins et devenus poreux à force d'avoir été portés. J'avais le cœur serré en repensant au soir de novembre où nous étions tous venus au Mirage pour fêter le prix qu'elle venait d'obtenir et où, dans son élan de gratitude bouleversée, elle embrassait tout le monde — ses amis, les membres de la Maison, les spectateurs autour —, le visage dilaté, presque incrédule qu'on lui promît une vie entière de succès, de voyages et d'amours. « Tout est passé si vite, n'est-ce pas ? » disait-elle, les yeux pleins de larmes, tournée vers les étoiles de strass piquées dans l'étole de scène qu'une danseuse promenait sur son dos nu, là-bas, dans la nuit des coulisses.

Elle voyait à peine entrer les samouraïs finis, les doulos usés, les vieux cascadeurs à bout de souffle qui semblaient chercher, auprès d'un producteur de hasard, un contrat pour une brève et dernière poursuite, et celle qu'on appelait la « Marilyn bis », trop frêle et vaporeuse pour qu'elle se décidât à en faire le portrait. Plus pâle et maigre qu'avant, souveraine et dépassée, dans la même robe au rouge électrique, elle allait se placer, seule, au bout du comptoir, face à l'un des pans de glace où, à cause de sa myopie et des verres d'alcool qu'elle enchaînait, elle ne distinguait que le nuage blond oxygéné de ses cheveux et sa silhouette pourpre qui s'effaçait dans les fumées, comme si elle n'aimait rien tant que cet état d'ab-

sence étudiée, cette sensation de chute à peine dou-
loureuse et sophistiquée, ce lent adieu qu'elle semblait s'adresser à elle-même sur un quai de miroirs.

Mila Parely arrivait plus tôt que d'habitude du Val-
d'Isère, dans son tailleur gris parme, de province
printanière, telle qu'elle apparaissait en haut des
marches du théâtre de Vichy où elle jouait le rôle
d'une ouvreuse de luxe au moment du concert du
dimanche matin. Alors qu'Élisabeth montait vers elle,
en avril dernier, un peu étourdie par les verres de
champagne qu'elle avait bus dans les salons de l'hôtel
Aletti, en face, où on venait de la fêter, Mila l'avait
accueillie avec un sourire intrigué, déférent et tendre, l'avait accompagnée jusqu'à la loge d'honneur
et puis, plus tard, dans le noir, était venue poser
la main sur son épaule comme si elle avait deviné
qu'Élisabeth, isolée dans sa fierté tourmentée, avait
besoin de quelqu'un à ses côtés et qu'elle commençait, en écoutant les premières mesures de *Tempo di
tango*, à pleurer — du retrait de toutes les fatigues des
combats qu'elle n'avait cessé de mener moins contre
le monde dont elle s'exagérait souvent les menaces et
les obstacles, que contre elle-même ; de la brûlure du
plaisir d'une nouvelle récompense qu'elle ne devait,
pensait-elle, ni à son mérite ni à son talent, mais au
hasard, à une grâce étourdie qui ne se reproduirait
jamais plus ; du regret de tous ceux qu'elle croyait
avoir sacrifiés en chemin et qui la regardaient depuis

le noir du paradis, où ils étaient rassemblés. Bien qu'elle veillât à se cantonner dans un maintien d'effacement digne, à réfréner, trop avertie des images habituellement attachées aux revenantes des boulevards du crépuscule pour y succomber à son tour, tout élan d'excentricité nostalgique, de regret tapageur d'un âge d'or — du cinéma, de sa vie — qui ne reviendrait plus, Mila avait cependant, lorsqu'on l'ignorait trop longtemps ou qu'on lui demandait avec une curiosité faussement nonchalante ce qu'elle avait fait depuis *La Règle du jeu*, comme le lui demandait, à l'instant, devant nous, un « admirateur », qui venait d'assister à une rétrospective Jean Renoir à l'Action Christine et chez qui le besoin d'anéantir l'emportait sur le plaisir de l'hommage, un très léger mouvement de recul amer, de désenchantement qui lui échappait, renonçait, par orgueil ou lassitude, à citer les noms des metteurs en scène, parfois importants, sous la direction desquels elle avait tourné par la suite. Mais elle pouvait compter, quand elle s'approchait d'elle, sur la vieille fidélité éblouie d'Élisabeth, sur son besoin d'émerveillement, son désir d'un éden de stars devant lesquelles elle s'inclinait, heureuse de son rôle de spectatrice éternelle, de ce strapontin de la vie qu'elle avait choisi et réservé pour toujours. Elle venait lui caresser la perruque, jouait avec ses mèches de côté, comme si elle n'était qu'un élément de comédie, une parure de cinéma qu'elle déposerait tout à l'heure, dans la loge, après une dernière prise, deux scènes de figuration de nuit dans un cabaret, avant de l'entraîner, comme avant, vers les Champs-Élysées où, après avoir bu quelques coupes à la terrasse du Fouquet's, elles décidaient de tout « claquer » dans un dîner chez Maxim's ou au Crillon, où elles entraient, royales, fauchées, un peu ivres, brûlant de défi et de volonté de prendre à la vie ce qu'elle leur devait.

« C'est la plus grande de toutes ! » criait presque, après avoir renvoyé sa cour de semi-gigolos — les jeunes serveurs des cafés de la rue Marbeuf ou des clubs de jour de la rue du Colisée qui passaient juste avant la nuit, auxquels elle distribuait des doses de poudre dont la quantité variait en fonction de la chaleur de leurs baisers sur son épaule ou de leurs promesses de la rejoindre dans son lit pour des étreintes de petit matin dont elle croyait pouvoir déterminer elle-même le roulement —, Cocaïne, en venant vers Élisabeth. Elle était si fière, lui était reconnaissante qu'elle ait fait d'elle le personnage presque central (une impératrice des nuits des Champs-Élysées qui donnait le *la* à toutes les revues de la capitale) de l'un de ses romans. Et, ce soir encore, par réflexe, elle lui proposait un nouveau rire, une autre manière de promener la main sur son visage, de relever le bandeau de satin noir dans ses cheveux, de soulever, comme pour l'aérer, sa blouse au rouge coquelicot, variait les degrés d'étonnement de comédie dans son regard, de fièvre rauque dans sa voix, prête, aussi, à lui confier d'autres secrets, à lui révéler d'autres moments de son passé, d'autres histoires de coulisses pour qu'Élisabeth ne se lassât pas de son modèle et continuât à écrire sur elle. Mais elle s'arrêtait bientôt, ne bougeait plus, sur le point de pleurer, devant la main exténuée d'Élisabeth qui n'arrivait même plus à soulever son verre, ses yeux qui se fermaient presque déjà sous les éclairages plus violents, ces globes tournants d'ampoules rouges qu'on avait installées au plafond à la fin de l'été. Pour qu'Élisabeth regrettât moins le cabaret où elle était venue si souvent ressourcer son envie d'écrire et d'aimer, elle lui disait que, elle aussi, elle allait partir pour Saint-Martin sans doute, où le meilleur club de l'île était prêt à l'accueillir. Oui, elle allait quitter le Mirage, préférait « prendre les devants », car, ces derniers temps, le propriétaire multipliait les allusions à son âge, à la nécessité de « passer le flambeau », au profit de Sandra, qu'elle avait elle-même recommandée, intronisée, après l'avoir rencontrée, errant, une nuit d'hiver, dans la pénombre rose, grise et glacée d'une galerie des Champs. Elle portait la main à sa poitrine, où elle avait encore un peu mal depuis qu'elle avait eu deux côtes cassées (le soir de la fête qui avait été donnée en son honneur, dont le patron l'avait proclamée reine pour mieux, peut-être, embellir sa destitution prochaine et camoufler, sous une profusion de fleurs, d'hommages et de « tequilas boum-boum » offertes à tous sans compter, ses adieux programmés) en s'élançant du haut du comptoir, où elle s'était mise à danser, vers ce qu'elle avait pris pour une « masse de chair soûle », en réalité, une table qui s'était brisée sous son poids : cette expression qu'elle aimait reprendre, et qu'elle tirait du livre de souvenirs qu'elle avait commencé à écrire en secret, sous l'impulsion d'Élisabeth dont elle gardait, exhibait les romans, en pile, sur sa table de chevet : ils avaient fini par servir de reposoir à ses grigris, ses bracelets et à la montre de son amant de six heures du matin. « Tu te souviens ? » lui demandait-elle sur un ton de commémoration exalté, fanfaron et un peu meurtri, comme si cet épisode constituait son ultime fait d'armes, le dernier sursaut de son patriotisme de la nuit, la dernière preuve de la vaillance avec laquelle elle avait arpenté les champs d'honneur du music-hall, l'ultime expression du panache qui l'avait conduite, tout droit, dans un bain de strass, au casse-pipe. Mais elle se rendait compte, en parlant, qu'elle avait peut-être précipité son exclusion prochaine du Mirage, en affichant trop de dérision à l'égard d'elle-même, en proclamant étourdiment sa lassitude des falbalas et des paillettes, en se moquant trop souvent de ses éclipses de mémoire, de ses dérapages de moins en moins contrôlés de meneuse de revue démodée et prête à abdiquer, offrant ainsi des armes faciles à ceux dont elle savait pourtant qu'ils tuaient en priorité ceux qui se laissaient d'eux-mêmes tomber.

« Kaditja est passé hier... lui disait-elle doucement, en se penchant vers elle, il aimerait te revoir... » Elle l'entendait encore crier « mon Élisabeth » en arrivant parmi les bouquets qu'on apportait en juin pour la nuit caribéenne et qui, immenses, bouleversés et tendus par des bras nus et mouillés, paraissaient venir de razzias de jardins d'été, rayonnant dans la chemise jaune or qu'il portait déjà à La Démence, à Bruxelles, où elle l'avait connu, après une signature à la librairie Tropismes. Il fendait la foule, venait la prendre par la taille, la soulevait au-dessus de lui, et lui qui était si prompt à l'affabulation, racontait volontiers qu'il avait triomphé, à une époque, en tant qu'ailier droit d'une grande équipe de foot, sur tous les stades de Flandre ; avait, depuis, tourné un film publicitaire, diffusé dans le monde entier, sauf en France, où on le voyait s'élancer, nu, du haut d'une falaise pour aller recueillir dans les vagues un flacon de parfum aux essences marines, il la regardait avec une expression d'émerveillement prémédité, d'éblouissement concerté comme s'il voulait faire d'elle le point de départ d'une autre fable, d'une autre légende, dont elle serait l'alliée inconsciente et qu'il pourrait raconter plus tard : celle d'une femme, auteur de romans à très grand succès, qui vivait dans un domaine de Saint-Domingue d'où elle n'était sortie que pour venir le rejoindre au Mirage. Il la portait au-dessus de la cohue hallucinée, comme une souveraine restée long-temps cloîtrée, étourdie par la foule, puis il la descendait doucement d'entre ses bras, la présentait, fier et bouleversé, à tout le gotha des Antilles rassemblé sur les gradins de velours, l'entraînait à nouveau, là où il y avait encore de la place, là où on voyait encore la galerie de miroirs, la faisait valser comme s'il ouvrait devant elle une part de vieil empire du Sud, lui inventait un Schönbrunn des Caraïbes. Puis il l'emmenait vers une table et commandait une bouteille de champagne rosé, très frappé, comme elle aimait. Elle lui demandait, en souriant, où il en était de sa vie, de ses amours. Il lui disait, en collant les lèvres à son oreille pour dominer la musique, qu'il y avait toujours chez les femmes qu'il avait connues quelque chose qui n'allait pas, qui « manquait ». Il avait trouvé en elle une femme « complète » ; c'était avec elle qu'il aimerait, un jour, « se caser », comme le lui conseillait sa mère dont il ne pouvait s'empêcher de dire, dans son affabulation machinale, qu'elle passait en ce moment quelques jours de vacances dans un palace d'Ostende alors qu'elle ne quittait jamais, en réalité, sa maison d'une banlieue pauvre de Bruxelles. Il irait d'ailleurs la voir, le mois prochain, et ce serait au cours de ce séjour qu'il choisirait la bague de fiançailles. Il lui caressait doucement les doigts l'un après l'autre comme s'il ne savait lequel choisir pour y glisser bientôt l'anneau promis, avait juste un petit mouvement de peine étonnée quand il remarquait, sans lui poser de questions, combien son poignet était déjà faible, flétri, à demi brûlé, lui qui était habitué à masser le pouls glacé de ceux qui, dans les chambres ou les squats autour de Château-Rouge, ne respiraient presque plus sous un excès de « neige », à la fin de la nuit et qu'il embrassait jusqu'à ce qu'ils s'imaginent que le soleil revenait. Il l'avait raccompagnée rue du Delta avec plus de précaution, de gravité tendre — que lui donnait aussi la conscience qu'arrivait le temps où il ne pourrait plus vivre de ses charmes, de ses fables — que la nuit de décembre où il l'avait rencontrée à La Démence. Pour lui donner l'impression d'une reconquête d'elle-même — et il pressentait que c'était l'une des dernières fois où elle ferait l'amour — il lui avait demandé de se placer au-dessus de lui dans le lit, de le surplomber car il aimait, disait-il, la « dominance ». Les bras tendus vers ses hanches nues, il se laissait conduire par elle qui avait à peine la force de souffler des mots égarés de reconnaissance et de plaisir et ce « je t'aime » dont il voulait qu'elle le prononçât au moins une fois pour se sentir vivante, se croire encore au début d'une histoire. Au lieu de vouloir paraître inaccessible, comme il le faisait d'habitude, en se retournant presque instantanément sur le côté après l'amour, il l'avait bercée, caressée tout le dimanche, reconstituant pour elle — dans la chaleur de juin, le souffle noir de sa peau, le dos de sa main qu'il promenait, toutes les trois secondes,

113

sur son corps nu avec la régularité de palmes qui, en s'abaissant, seraient venues la toucher — un coin des Caraïbes où ils n'auraient pas vu le soir tomber. Il était reparti, bien sûr, lui avait fait signe de loin en loin. Mais c'était ces hommes qui étaient venus vers elle du fond de la nuit, avec lesquels elle avait passé simplement quelques heures, un dimanche plein d'attentions sans avenir et de baisers sans promesse, qui lui avaient apporté le plus de bonheur. « Moi aussi, j'aimerais le revoir... il était bien, Kaditja... il était bien... », répétait-elle avec cette gratitude qui englobait tous les autres sentiments et représentait chez elle la forme absolue de l'amour.

Cocaïne l'amenait contre son vieux cœur de fête, l'enveloppait, en lui murmurant : « Je viendrai te voir souvent... je ne suis pas partie... mon contrat pour Saint-Martin n'est pas encore signé », de sa tiédeur maternelle et corrompue, de l'odeur de sa robe — de satin déjà humide et froissé, de doublure de moire parfumée, d'alcool répandu et de restes d'étreintes de coulisses. Elle la voyait incapable de suivre un spectacle jusqu'au bout, d'en supporter tous les tourbillons ; et cette rose de scène qu'elle piquait au hasard dans l'un des bouquets de la salle, et qu'elle lui lançait d'habitude du bord de la rampe, en même temps que ses hauts gants de soie pourpre à la fin de son numéro d'effeuillage intégral, de sa version nue de *La Vie en rose*, elle la lui donnait tout de suite, la glissait entre ses doigts. Il était temps de partir maintenant : il y avait trop de monde, des appels de tous côtés, des cris de retrouvailles comme pour l'ouverture d'une saison. Cocaïne faisait appeler un taxi. Nous la portions presque, claudiquant, à demi renversée entre nous, le long des miroirs assombris, où seule apparaissait la silhouette rouge de la Marilyn bis.

Et là, sur le trottoir, entourée par les reflets du Val-d'Isère, on aurait dit, avec son sourire si frêle, son visage si mince qui disparaissait presque sous la perruque trop grande, trop lourde, une fillette solitaire qui revenait d'une fête de fin d'année et aurait voulu garder sur elle le principal accessoire de la parade d'un soir.

Elle me demandait de descendre, de mon côté, la vitre du taxi (et combien de taxis avions-nous pris dans notre vie, comme un couple pressé, étourdi, lunaire, qui semblait avoir oublié en chemin le programme d'un improbable voyage de noces) pour sentir sur son visage le vent encore tiède de la nuit d'octobre, tout en serrant l'accoudoir de la banquette, chaque fois qu'elle avait mal au cœur, comme si nous manquions déraper, à tout instant, sur une route étroite, sans parapet, de haute montagne. Mais le chauffeur roulait de plus en plus doucement, au contraire, saisi par la beauté perdue de cette femme qui tenait une rose de scène à la main, tel un souvenir de gala ou d'anniversaire, et à qui il semblait vouloir laisser le temps de retenir le plus grand nombre d'impressions, de reflets de vitres ou de pierres comme si elle était à ses yeux une voyageuse qui, profitant d'une escale imprévue ou d'une correspondance manquée, aurait voulu traverser à nouveau une ville qu'elle avait jadis aimée et qu'elle n'était pas certaine de revoir un jour. Elle apercevait, au loin, les lumières du rond-point des Champs-Élysées, celles du fronton du théâtre Marigny où elle avait assisté à quelques premières, les galeries de la rue du Cirque, la vitrine du Nain bleu, qu'elle avait toujours regardée avec un émerveillement triste comme si elle rêvait d'un Noël comblé, d'offrir à un enfant de rencontre le magasin tout entier, les boutiques de la rue du faubourg Saint-Honoré où elle ne s'aventurait, intimidée, éblouie, gauche, que les après-midi de soldes d'hiver, passant des heures à rechercher, de magasin en magasin, un tailleur ou un chemisier « abordable » avant de dépenser, en quelques minutes, la moitié d'un « à-valoir » pour un manteau haute couture que, une fois rentrée rue du Delta, elle jugerait trop éclatant, inadapté à sa vie, et qu'elle ne porterait jamais. « Le luxe n'est fait que pour être traversé », me disait-elle avec une sorte d'éblouissement raisonné et sans envie. Ce luxe qu'elle n'avait vraiment connu que les étés où Vénus l'invitait dans sa maison du domaine privé de Port-la-Galère (« je n'ai épousé que des hommes très riches... C'est le seul moyen que j'ai trouvé pour pouvoir écrire librement... », lui disait-elle en riant) où — après qu'elles avaient travaillé, chacune de son côté, dans les chambres ouvertes sur les jardins de pavots et de lauriers blancs — elle l'amenait, en fin d'après-midi, vers le port, la présentait aux milliardaires qui revenaient de pêcher le thon en haute mer (c'était leur dernière marotte), en comparaient les quartiers ensanglantés, alignés sur les dalles de granit rose, aussi lisses qu'un sol de banque, en prenant, sous leurs chapeaux de paille, dans un climat de néoréalisme chic, des mines batailleuses, expertes et harassées de pêcheurs siciliens — avant de l'entraîner vers les soirées dans les villas de la Corniche d'or, où était réuni le semi-gotha de la Côte d'Azur (le plus souvent chez Mme Almani qui, avec sa collection de saris, sa caste de serviteurs de haut vol, ses récits de dîners d'étoiles qu'elle offrait au moment du festival de Cannes, se donnait des allures de nouvelle Bégum de l'Esterel) et où, lorsqu'on lui demandait où était ancré son yacht, quel déguisement elle comptait porter pour le bal masqué du 4 août chez le prince de Ligne, elle était à la fois ravie — dans la robe de mousseline bleue et le collier de pierres de lune que lui avait prêtés Vénus — de donner le change et inquiète que l'on découvrît qu'elle n'était qu'une intruse. Et c'était ces femmes, qu'elle avait jugées au départ si frivoles — ayant pour toute échéance les dates des défilés de mode ou des galas de la côte — qui avaient eu le plus de cœur (surtout Mme de Beaulieu qui l'avait pourtant énervée parfois par son énergie soûle, la jubilation avec laquelle elle assistait, enchantée de son don d'ubiquité, à plusieurs dîners dans la même soirée, en parcourant la corniche, en tous sens, à toute allure, comme si elle n'aimait rien tant que la sensation des rochers rouges frôlés sous les phares, recevoir le vent sombre et chaud de plein fouet, surgir sur les perrons avec son accent de faubourg travaillé), qui l'avaient le plus aidée, lui avaient rendu régulièrement visite, en automne, à la clinique du Belvédère, venaient la chercher à tour de rôle après les séances de rayons, la raccompagnaient rue du Delta, rangeaient sa valise, emportaient les chemises de nuit trempées, aéraient les pièces, disposaient des bouquets partout autour d'elle — elles encore qui, le dernier été, s'abstenaient de partir, le soir, vers une fête ou une réception pour rester à ses côtés sur la terrasse du Lys rouge, célébraient, en l'entourant de leur petit quatuor solidaire, précieux et tendre, les bienfaits de l'ombre, du repos, de l'intimité, racontaient exprès les épisodes de leur existence les moins glorieux — en mettant en avant leurs revers en amour, les boulets de leurs vieux maris — pour qu'elle n'imaginât pas qu'elles avaient toujours tout régenté, tout dominé ; revenaient vers des histoires de jet-set, de comtesses provocantes et fanées, de principautés déclinantes, de soirées au Byblos ou au Sporting, où on comptait davantage les diamants que les traits d'esprit, pour qu'elle eût davantage conscience d'avoir fait avec ses livres quelque chose de sa vie, la berçaient de cancans de plus en plus anodins jusqu'à ce qu'elle ne pensât plus à rien, que ses yeux se ferment sur les halos des feux d'artifice qui éclataient, presque au même moment, au large, depuis les ponts des yachts, comme s'ils n'étaient que pour elle.

Quand nous traversions la rue de Castiglione, elle devinait encore — d'après la densité des faisceaux lumineux, leur grain plus ou moins vif ou brumeux, leur degré d'oscillation au-dessus de la Seine, leur manière de simplement effleurer ou d'englober, en passant, les arbres du bord des Tuileries — s'ils venaient des vedettes du Pont-Neuf ou des grands bateaux-mouches du pont de l'Alma qu'elle aimait prendre les nuits de juillet où elle restait à Paris, pour se donner, après avoir écrit toute la journée derrière les volets mi-clos, une impression de fraîcheur et de départ.

Elle levait les yeux vers les fenêtres éclairées de son ancien appartement de la rue des Pyramides — le plus central qu'elle ait jamais occupé comme pour rattraper l'absurdité de ses trois années d'exil campagnard dans la maison-ferme du Morvan où, cédant à la mode des bergeries lyrico-communautaires des années soixante, et, sans vérifier, au préalable, que cela ne correspondait à aucun de ses désirs (elle avait toujours eu en horreur les pâturages et les vieilles pierres), elle avait mené une vie collective et quasi pastorale ; et elle sourirait, plus tard, de voir que ceux qui, dans l'ancienne fratrie, avaient célébré, avec le plus d'exaltation, le retour à la terre, les vertus du chaume et du lait de brebis, prôné, comme dans une éternelle nuit du 4 août, l'abolition des privilèges et le dédain des richesses, seraient les premiers, dès qu'une occasion de pouvoir se présenterait, à se laisser griser par les ors de la République, les révérences des huissiers et la première voiture de fonction, d'où ils lui adressaient — quand ils l'apercevaient, marchant seule sur l'étroit trottoir de la rue de Valois, pour se rendre à une présentation des « Belles Étrangères » ou de « Lire en fête », comme liftés de certitude, d'assurance, de fierté d'appartenir désormais à une caste régnante, fringants et blêmes dans leurs costumes venant tout droit, pour paraître dans l'air du temps, des boutiques de la place des Victoires, excessivement tendus tant ils vivaient dans la hantise du « TTTU », barrant notes et dossiers, qui leur était imposé et qu'ils imposaient à leur tour, ce « très très très urgent » qui la faisait sourire aujourd'hui ; toujours en état d'alerte, franchissant, à toute allure, la porte-tambour, commandant aussitôt des états des lieux, des analyses de rapports de forces, des plans d'intervention qu'on devait leur remettre dans la minute, comme si on était constamment dans un temps d'émeute, une période d'insurrection dans une cellule de crise au ministère de l'Intérieur ; soucieux, avant tout, de défendre leur territoire, leur pré carré, préférant, au cours d'une réunion, tuer une

121

idée (même si elle était destinée au bien commun, à l'épanouissement de tous) plutôt qu'elle ne risquât de leur faire de l'ombre, d'altérer leurs mérites, d'estomper la gloire de leurs propositions récentes, évaluant, surveillant la cote de chacun, surtout celle de leurs éventuels rivaux dont ils semblaient connaître, tant ils avaient mis d'obstination, de vigilance à suivre leur parcours, à guetter leur moindre faux pas, à espérer ou à encourager la chute, la carrière mieux que la leur propre, se disant parfois lassés, prêts à tout abandonner, à partir vers le privé, mais ce n'était qu'une ruse, une confession tactique pour amener à sortir du bois celui ou celle dont ils s'imaginaient qu'il guignait leur poste en secret ; annonçant soudain, au milieu de la journée, qu'ils devaient s'enfermer dans leur bureau pour rédiger une note capitale, demandée par Matignon (comme s'il s'agissait d'un télégramme de campagne, dont dépendait le sort d'un pays entier, l'ultime phase d'une bataille), jusqu'au soir, jusqu'à l'« heure du palier » où attendait de marche en marche, devant leur porte, la cohorte des subalternes qui tenaient contre leur poitrine, tels de petits boucliers de comédie, les parapheurs en cuir noir, doublé de rose, et qu'ils laissaient, se délectant de la lenteur de leur ascension, piétiner dans la nuit avant de signer leurs notes avec une supériorité distraite, ne retenant que ceux qui, même s'ils n'en étaient pas dupes, sauraient le mieux les flatter, les renseignaient sur l'état des rumeurs et des intrigues, leur donnaient des indications sur leur image du moment et ce qu'ils pourraient éventuellement en corriger ; veillant ainsi, surtout quand paraissait revenir la vogue d'un certain humanisme, à ne pas apparaître trop « technocrates », eux qui, à force de prévision, de contrôle d'eux-mêmes, de considérer le moindre sentiment, la moindre fantaisie comme une erreur de perspective, un défaut de programmation, une donnée que n'arrivait pas à intégrer l'ordinateur, finissaient par ne plus avoir qu'un cœur virtuel ; à prouver qu'ils avaient la « culture au cœur », qu'ils étaient proches des artistes (même si ceux-ci se ramenaient à des silhouettes, des figurants destinés à justifier leur fonction, n'étaient à leurs yeux, quand ils les recevaient, que des quémandeurs déséquilibrés, des sujets changeants qu'ils auraient préféré voir se cantonner à leurs chambres, à leurs ateliers ou à leurs théâtres) ; à démontrer qu'ils étaient en phase avec la réalité, la vie des banlieues dont des « médiateurs » nouvellement nommés leur rapportaient les gestes, les paroles et les slogans en leur donnant l'illusion qu'ils étaient allés, à leur tour, sur le « terrain » (ce mot qu'ils prononçaient avec une flamme excessive, une rudesse béate) ; se donnant, de temps en temps, un alibi de compassion sociale, en participant à un colloque sur le quart-monde, aux assises de la pauvreté ou aux états généraux de l'exclusion (où ils se sentaient soudain si près des déshérités qu'ils étaient prêts, dans leurs discours à la tribune, à leur offrir toutes leurs primes, s'ils ne se souvenaient à temps qu'elles n'étaient pas vraiment connues du grand public et qu'ils devaient les garder secrètes) ou en adorant, au moment de la réception de juin, dans les jardins du Palais-Royal, les portraits géants de SDF suspendus au-dessus d'eux (ce casting de mendiants qui avaient eu le temps de disparaître, de mourir depuis, et qui ne sauraient jamais qu'ils avaient eu le privilège de figurer un soir d'été dans le ciel de Paris au-dessus d'un parterre de fleurs et d'élites), photographiés, les nuits les plus froides de l'hiver, sur les quais, les trottoirs ou dans les centres d'hébergement dont ils se faisaient répéter les noms par le photographe alors en vue pour les citer plus tard avec un accent informé et ému (en faisant croire que les lieux leur étaient familiers, qu'ils s'y étaient souvent rendus sous la neige) dans une réunion au sommet sur la misère et l'accès des plus démunis à la culture, et vers lesquels ils levaient, avec une exclamation de pitié rayonnante et comblée, leurs cravates soudain dénouées et leurs pochettes ébouriffées exprès, des toasts de charité brève et survoltée, tout en surveillant la progression, parmi les invités, du ministre du moment pour lequel ils avaient déjà préparé, quand ils l'aborderaient, le compliment singulier qui l'emporterait sur les autres flatteries et leur vaudrait de faire bientôt partie de sa garde rapprochée — un sourire de suprématie gênée, de satisfaction vaguement coupable comme s'ils s'excusaient rapidement

d'exhiber leurs maroquins, lui en voulaient secrètement de n'en avoir pas acquis le goût, de ne jamais
même avoir la tentation d'approcher le Prince pour
en obtenir une grâce, de rester le témoin abîmé, solitaire, libre et déçu de l'époque de leurs effusions éga-
litaires et de leurs hymnes à la vie nue.

« Tu as souffert là-bas, n'est-ce pas ? » me disait-elle,
en apercevant dans la nuit le drapeau de la déléga-
tion, aux couleurs éteintes, retourné sur lui-même et
gorgé de fumées — pareil au vieux pavillon d'un
cargo sur le point d'être désarmé —, où j'avais travaillé, un temps, par besoin de sécurité, de détermi-
nation sociale (comme avaient réussi à m'en persuader ceux qui projetaient leur peur du vide et d'une
bohème sans repères) et où, chaque fois qu'elle montait, elle me voyait — elle si radicale, si libre — me
perdre dans une soumission affolée à l'égard de ma-
trones de bureau qui, excitées et amères, imposantes
et cassées, ne multipliaient les ordres et les contror-
dres que pour démontrer leur domination ; me noyer
dans les tourbillons inventés et stériles qui m'éloignaient, chaque jour davantage, du calme et du
retrait de l'écriture ; m'anéantir dans la tristesse de
sentir que, pour la première fois, j'acceptais de me
laisser tuer (mais, peut-être aussi l'énergie de créer à
nouveau, après la mort de maman, n'était-elle pas
assez forte pour l'emporter sur tout, trouvais-je ainsi
une situation commode pour dissimuler une dépres-

sion que je n'osais pas m'avouer à moi-même, masquer mon incapacité à retrouver, dès que je commençais à écrire, une vérité qui se confondait entièrement avec elle). Je n'osais pas lui dire que Serge Marti, que j'avais rencontré dernièrement sur le trottoir de la rue Lantier (et qu'on appelait le « commissaire politique » pour son aplomb grisâtre, son impassibilité seulement troublée par de brusques pâleurs qui auraient pu toucher si elles n'étaient dues à l'ambition suffoquée soudain par une contestation imprévue), m'avait demandé d'insister auprès d'elle pour qu'elle acceptât de participer à un atelier d'écriture au cours du colloque « Culture à l'hôpital » qu'il organisait à Strasbourg — il connaissait sa maladie : cela donnerait plus de densité, d'authenticité, de proximité vraie à ses interventions, avait-il sans doute pensé — et où, prouvant un intérêt spectaculaire pour les fins de vie, illustrant les bienfaits de l'art sur les mourants, on avait fait sortir, pour l'après-midi, quelques malades des hôpitaux de la ville, où on les avait exhibés sur des estrades — des comédiens venant jouer, autour d'eux, des scènes de *La Cantatrice chauve* ou de *On ne badine pas avec l'amour* ; des jongleurs lançant au-dessus des lits, où ils reposaient, des balles dont ils devinaient à peine le circuit et les couleurs ; des magiciens retournant leurs chapeaux sur des nuées d'étoiles qui allaient s'accrocher à leurs doigts inertes ou à leurs rares cheveux, lavés du matin —, avant qu'on ne les raccompagnât sur leurs lits à

126

roulettes (alors que des vidéastes, caméra à l'épaule, essayaient de capter sur leurs visages une expression de malheur consolé et récompensé in extremis par l'art) à travers les couloirs du palais des Congrès, aussi déserts et obscurs que les coulisses d'un cirque éteint, sans voir qu'ils pleuraient doucement, qu'ils avaient peur ou mal, qu'ils étaient si loin de tout désormais qu'ils ne se souciaient plus d'être entourés ou distraits, qu'ils auraient simplement voulu pour leur dernière sortie, avant qu'on ne les remontât dans l'ambulance, respirer l'odeur des tuiles encore tièdes, des quais et des terrasses de la petite France au soleil.

Puis c'était la librairie Delamain, où je l'avais vue pour la première fois, un soir d'hiver, vers sept heures, alors que l'ombre de la neige descendait vers les rayons des Pléiade, la collection d'atlas où elle recherchait toujours l'emplacement des îles dans les mers du Sud qu'elle s'obstinait à confondre. Je m'étais approché d'elle pour lui dire mon admiration : elle avait eu, en ramenant, en ajustant sur ses épaules son châle aux fleurs jaunes et noires, le minuscule sourire qu'elle avait toujours au moment où on lui rendait hommage — de gêne, de tristesse presque, comme si elle s'affolait intérieurement devant l'amour qu'on lui portait, d'appréhension devant une reconnaissance qui lui était pourtant due et qu'elle croyait usurper ; de peur qu'on ne lui attribuât des vertus qu'elle ne possédait pas ; de hantise d'un déclin qui serait déjà secrètement consommé et que personne, pour l'instant, n'apercevait. Elle accueillait mieux — je le saurais plus tard — les paroles dépréciatives ou négatives qu'on lui disait parfois, était plus poreuse aux découragements insidieux que lui insufflaient ceux qui, enclins à détruire ou envieux de son calme, de sa pudeur et de sa vie droite ne cherchaient, en l'inquiétant davantage, en recensant à sa place les motifs de rancune et les injustices qu'on aurait commises à son égard, qu'à lui faire épouser leur propre amertume et à l'embarquer dans un ressentiment qu'elle-même était incapable d'éprouver.

« C'est encore ouvert, je crois », me disait-elle. Elle demandait au taxi de ralentir, de s'arrêter. Je l'aidais à descendre, lui prenais le bras pour qu'elle fît le tour des tables, au-dessus desquelles les lumières déclinaient. Elle feuilletait, avec une admiration triste, les romans des jeunes auteurs (qu'à une époque elle aurait aimé voir venir à la Maison). « Ils vont si vite », murmurait-elle avec un sourire de renoncement émerveillé : elle enviait chez eux le rythme électrique, l'énergie désinvolte, cette rapidité dans l'expression de l'amour, qui n'avait jamais été la sienne, l'oubli rayonnant de la faute, l'ignorance sèche de la nostalgie, l'adoration simple de l'instant ; elle pensait qu'elle faisait partie d'un club de l'imparfait du subjonctif, dont le nom même, étrange et désuet, pareil à celui d'un vieux cuir qu'on ne trouvait plus, ferait bientôt sourire. Le monde n'était plus qu'une vaste console de jeux, dont elle ne comprenait pas les signaux, le sens des clignotements qui la submergeaient aussitôt ; elle se sentait décalée quand elle passait la nuit devant la blancheur silencieuse et glacée des cybercafés, où elle n'osait pas entrer, où elle les regardait de loin, alignés devant leurs écrans, comme des séries d'apprentis pilotes, concentrés et durs, certains de connaître tous les ciels à distance, l'histoire de la moindre étoile, la vie de quelqu'un qu'ils interrogeaient à l'autre bout de la terre et se décidaient à aimer, sans avoir même l'idée de sa peau. Peut-être, se disait-elle, créera-t-on un jour un site pour les morts sur Internet, suffira-t-il de pianoter leur nom sur le clavier pour les voir apparaître sur l'écran, sur un fond dont on choisirait soi-même la couleur selon le souvenir qu'ils vous auraient laissé ; peut-être pourra-t-on, même si le micro grésillait un peu, si la liaison n'était pas encore tout à fait perfectionnée, entamer, malgré les coupures, un dialogue avec eux. Il lui aurait fallu pour s'adapter, pensait-elle, un autre corps, d'autres particules mentales, un autre système nerveux, une autre formule sanguine, une nouvelle façon de s'orienter face à la vie. « Je serais passée ric-rac », me disait-elle, en souriant, comme une spectatrice essoufflée qui, arrivant en retard à un spectacle, viendrait de franchir un tourniquet juste avant qu'il ne fût bloqué, que la salle ne fût interdite d'accès pour toute la soirée.

Et pourtant elle les aimait, adorait écouter, du bord d'un boulevard, arrivant du fond de la nuit, sous le ciel calme, dans un silence de couvre-feu qui paraissait tout éteindre derrière eux, et comme si la ville entière était en pente douce, les centaines de jeunes gens en rollers qui, pareils à des anges souples et sombres, se croisaient, se dépassaient sans un mot, se prenaient la main pour s'aimer à toute allure, ou bien semblaient s'envoler, comme de tremplins imaginaires, tournaient sur eux-mêmes, avant de retomber sans bruit ni étourdissement en venant la frôler parfois. J'aurais voulu lui dire : « Vous avez des yeux si jeunes », comme le lui avait dit Cédric, un soir d'avril, sur la terrasse d'un refuge, dans l'ombre de la montagne encore enneigée où seules brillaient, au loin, les lumières d'Annecy où elle l'avait rencontré à la fin d'une signature : il l'avait regardée s'avancer jusqu'au bord de la plate-forme du deltaplane, comme prête à tous les vertiges, à s'élancer, en écartant les bras au-dessus des arbres, du lac déjà noir et des arêtes de glace, quitte à se briser, à se noyer, avant de venir la prendre dans ses bras en lui disant que c'était elle qui, il en était sûr, était allée le plus loin toujours.

« Tu écriras peut-être un jour à ma place ce que je pensais écrire... », me disait-elle en apercevant la biographie de Maupassant qui venait de paraître — elle qui, dès qu'elle avait découvert, au détour d'une promenade à travers Cannes, le chalet de l'Isère où Maupassant avait passé son dernier hiver, finissant de perdre la raison entre deux instants de cure de soleil et de raisin blanc, avait voulu en écrire le récit : elle avait longtemps gardé les yeux levés vers la fenêtre de sa chambre, sous la dentelle de bois neigeux du rebord du toit, imaginant l'ombre chaude où apparaissait, certains après-midi, la dame en gris qui défaisait, sur le seuil, sa ceinture dorée, découvrait son corps si mince et svelte d'ancienne écuyère de cirque, se penchait vers lui avant de l'entraîner dans des étreintes déséquilibrées au goût d'éther, de draps brûlants et de numéro forcé en lui donnant l'illusion qu'il était encore le guide de leur volupté ; quand il s'aventurait, le soir, dans les lumières de l'avenue de Grasse et croyait voir, arrivant du fond de l'escalier Continental, son double qui venait à sa rencontre, le dépassait sans le reconnaître, comme s'il n'était plus pour lui qu'un vagabond sans identité ni chemin ; quand ses deux mariniers, s'imaginant le distraire, le conduisaient vers le quai aux Fleurs et son yacht le *Bel Ami II* qui se ramenait peut-être, devant ses yeux tout de suite éblouis, à un bloc de sel transplanté depuis la rive d'un désert d'Orient ; quand, le dernier matin de son séjour, on l'avait descendu vers la gare où il attendait le train qui l'emmènerait vers la clinique du docteur Blanche, avec son air de forçat assommé, dont on n'avait même pas besoin de ligoter les mains, de colosse écervelé qui croyait que sa voix portait jusqu'en Chine, immobile dans le divan du salon d'honneur aux velours pourpres et au décorum suave de claque officiel de bord de voie et qui n'était plus, aujourd'hui, qu'une remise pour valises, perdues ou oubliées, qu'on détruisait au bout d'une année.

« Nous n'irons pas ce soir, chez Galopin », elle le chantonnait presque en demandant au chauffeur de passer, place de la Bourse, devant ce restaurant qu'elle aimait pour le miroitement de ses boiseries trop cirées et de ses soupières exposées, ses serveurs impassibles et sombres, comme figurant aux quatre coins d'un décor de vaudeville muet, son climat de Bourse endormie, d'enchères tues, d'indice Tokyo devenu improbable, de cours oubliés et de silence retombé sur des Dow Jones qui, dans la nuit, semblaient ne plus compter ; nous nous y étions donné tant de fois rendez-vous pour — comme nous le disions avec l'assurance, la naïveté abrupte de ceux qui, s'imaginant la surplomber, ne maîtrisaient rien de leur vie — « faire le point », ce point qui se dérobait, nous échappait sans cesse car nous n'avions pas, au fond, le goût des bilans et des saisons bouclées. Il suffisait d'un rire, de l'un ou de l'autre, pour abattre d'un coup les constructions d'avenir, les projets impeccables, les programmes de rénovation de nos vies que, dans des anticipations solennelles, nous avions conçus dans la solitude, de commencer le récit d'une aventure, d'un amour, peut-être, pour réaliser qu'il était déjà fini (et elle n'aurait jamais la complicité emphatique de ceux qui voulaient, à tout prix, prouver leur tolérance envers un monde qui n'était pas le leur ; la maternité louche, l'affectivité excessive et détruite, la sensualité envieuse, l'ascendant amer des femmes qui, grâce à ces compagnons de fortune, dont elles s'exagéraient les fragilités et les plaisirs, à ces soupirants éclopés et ignorants de leur corps qui venaient pleurer dans leurs bras et leur confier leurs naufrages, oubliaient qu'elles n'étaient plus aimées) ; de s'indigner d'une infidélité ou d'une trahison présumée pour nous rappeler celles que nous avions déjà commises ; d'exprimer un rêve de rupture, de départ radical pour une ville inconnue d'Afrique ou d'Asie, mentionnée sur aucune carte, pour nous rendre compte aussitôt que nous aimions trop Paris et ne pourrions jamais nous séparer de notre petite famille des trains du livre (avec Marie qui, si menue sous son bonnet de laine bleue, dans ses chaussures achetées dans les magasins d'enfant, courait le long des wagons pour rassembler ses auteurs, leur donner, à jeun, l'amour que, depuis toujours, elle oubliait de réclamer pour elle-même, bientôt rejointe par Pierre, son camarade d'une autre maison qui, apparemment plus distant dans son costume noir, s'inquiétait presque de la voir mettre, malgré les années, tout ce cœur à la tâche — mais il en avait autant) ; il suffisait que nous nous confiions nos passages à vide, les jours entiers où, devant les pages blanches, il nous semblait perdre le désir et les frissons décisifs, le besoin de ressusciter ce que nous n'avions pas su vivre, pour nous encourager, nous stimuler mutuellement et retrouver cette fois dans l'écriture que, par fatigue, excès de doutes ou engloutissement dans les plaisirs paniques, nous croyions avoir égarée. Je devinais, à sa manière de s'absenter soudain, de se tourner vers les reflets sur les vitres de la porte-tambour ou de lever trop souvent les yeux vers la glace panoramique ou l'immense bouquet de fleurs de saison, qu'elle pensait à Marco, l'ancien compagnon de Conrad qu'elle avait essayé, encore une fois, de consoler, en marchant à ses côtés sur le trottoir de la rue du Quatre-Septembre, de retenir la veille de son départ pour le périple humanitaire au Rwanda où, s'avançant, une nuit, vers un barrage, sans peur dans sa chemisette or, il serait transpercé de plusieurs balles ; à John, qui était tombé pour toujours devant elle sur le seuil de l'ancien club de la rue Feydeau, un matin de printemps, face aux arbres déjà pleins de soleil, alors qu'elle le suivait dans la nuit du couloir du dancing en se promettant de l'aimer longtemps, de le garder auprès d'elle, de l'aider à diminuer, à espacer au moins ses doses, même si elle devait continuer à aller les chercher elle-même du côté de la porte Saint-Denis où elle les payait au prix fort pour que la poudre fût, croyait-elle, de meilleure qualité ; à Michel Laverne, le libraire de la rue du Faubourg-Montmartre qui l'avait aimée, dès qu'elle s'était installée pour signer, qu'elle venait souvent chercher pour déjeuner avec lui aux Diamantaires et qui, le dernier jour, l'avait soudain serrée contre lui, au bas des marches de la Bourse en grève, comme s'il pressentait que son cœur allait s'arrêter de battre le soir même où, seul dans la remise, il classait les retours (ils semblaient, en traversant la place en silence, lui demander de les prendre, de les embarquer avec elle, même s'ils ne devaient représenter que des profils perdus, ne réapparaître qu'entre deux incises ou deux parenthèses dans l'un de ses romans ; elle le leur promettait puis les laissait repartir sous la pluie, évitant les lumières, les groupes et les contrôles, avec leur allure absorbée, effacée, un peu lunaire, de voyageurs clandestins sans papiers ni visa, trop aléatoires pour s'inventer même un nom d'emprunt, trop discrets ou menacés pour demander le chemin des portes de la ville où ils étaient pressés de disparaître). Et elle, elle savait que je pensais à François-Régis Bastide, que je l'entendais encore me dire — alors que je lui demandais une de ses analyses sur l'état du monde, des guerres et des frontières, où il excellait : « On est très loin de tout, dans mon cas, tu sais », demeurant si droit, malgré la maladie, dans son maintien de vieil ambassadeur impassible sous le ciel au bleu d'opérette et de Vienne perdue, sa bonté impérieuse, sa conscience impeccable de la fin, la tristesse secrète de sentir que s'achevait, sur cette part de trottoir devant l'AFP, le temps des conseils, le rôle de père de substitution que je lui avais longtemps donné. Elle devinait aussi qu'une boule de larmes me traversait la poitrine quand je croyais voir maman qui, transie, là-bas, de l'autre côté de la place, avec son porte-monnaie glacé à la main, comme si elle était prête à régler d'avance, errait le long des brasseries (elle n'osait pas y entrer, il y avait trop de monde, elle en avait perdu l'habitude), semblait, dans la nuit, me crier de loin : « Où tu es ? Où tu es ? » avant de m'apercevoir, de me reconnaître, de marcher presque vite malgré les rhumatismes aux genoux et aux chevilles que son séjour au Ciel n'avait pas guéris, étourdie, inquiète que le souffle de la porte-tambour ne dérangeât sa permanente, puis venant s'asseoir entre nous, étonnée de me voir auprès d'une femme, dont je ne lui avais jamais parlé, dont elle espérait qu'elle n'était qu'une amie, une collègue de la Maison, surprise, surtout, par l'odeur de cire qui était plus puissante que chez elle, dans son appartement du Moulin-à-Vent, se demandant, intriguée, un peu jalouse, quelle était cette marque qu'elle ne connaissait pas, prête à se mettre en quête, à la chercher, s'il le fallait, dans toutes les drogueries de Paris, et abandonnant déjà la banquette qui, d'un coup, devenait immense, nue et froide, tel un meuble abandonné, en plein hiver, au milieu d'un entrepôt désert.

Nous buvions beaucoup ; nous joignions nos mains, les vieux chagrins, peu à peu, s'en allaient ; et il me semblait, tandis que je me laissais envahir par la douceur de sa peau, de ses veines, de son front qui se rapprochait, de ses épaules qui rencontraient presque les miennes, avant que sa perle d'Afrique ne vienne battre sur mon cou, que je m'étais trompé, toute ma vie, de désir.

« Je te laisse là ? » plaisantait-elle, comme si elle voulait rester seule maintenant, ne rien m'imposer, en passant devant le dancing de la rue Vivienne qui, avant, avec ses groupes de très jeunes Asiatiques, à demi nus, suspendus aux passerelles et accrochés les uns aux autres, prenait, dans une lumière d'ouragan bleu, l'allure d'un boat people de comédie musicale. Elle ne se rendait pas compte qu'il était fermé. C'était devenu un club échangiste qui ne fonctionnait que deux ou trois soirs par semaine.

Le bar, en face, n'existait plus aussi. Les grilles étaient abaissées, les vitres blanchies. Carmen avait disparu — elle qui nous enveloppait de ses grands bras sombres en nous voyant attendre, réunis côte à côte comme de vieux passeurs, un peu gris, pas vraiment au courant des nouvelles méthodes, le garçon qui, lumineux et trempé, finissait par traverser la rue, en repérant de loin celui d'entre nous qui saurait le mieux l'aider pour obtenir sa carte de séjour, pourrait l'héberger une ou deux nuits, toute la vie peut-être.

Il y avait un tel calme irréel sur les boulevards, la pluie était si régulière dans la nuit presque chaude — seuls apparaissaient les premiers étages des cercles et des restaurants, et les globes des arbres pareils, dans leurs reflets, à d'énormes bouquets sauvés — que Paris semblait devenir une part de Sud inondé, sans que personne ne s'en inquiétât, lui donnant peut-être l'impression — les yeux fermés, les mains repliées sur la rose de scène et presque inconsciente — qu'elle était à l'arrière d'une voiture qu'on venait d'embarquer sur un bac.

Les reflets des autobus de nuit passaient sur la silhouette de Ludmilla Mikaël qui, dans sa longue tunique grise, très maigre, le crâne nu et sans sourcils, apparaissait, de colonne en colonne, sur l'affiche d'*Un trait de l'esprit,* que j'avais vu, il y avait quelques jours, sans le lui dire, sidéré, comme tous ceux qui, après la représentation, remontaient les marches du palais de Chaillot dans un silence de gare de pays occupé, de liberté au compte-gouttes. « "La mort ne sera plus, ô mort tu dois mourir", tout juste une virgule sépare la vie de la vie éternelle, la mort est une virgule, un répit... rien qu'une virgule », disait Vivian Bearing qui, bien qu'atteinte d'un cancer au stade 4 (« il n'y a pas de stade 5 », affirmait-elle avec une sorte de courage pédagogique, la même intransigeance avec laquelle elle lançait à ses étudiants en retard pour leurs copies : « Une échéance est une échéance »), continuait à commenter, dans sa chambre d'hôpital, les sonnets sacrés de John Donne, à l'analyse desquels elle avait consacré toute sa vie, s'obstinant — entre deux changements de plaques de radio, deux cycles de chimio, deux examens du fond de son ventre, étendue, les pieds enfoncés dans des étriers — à les expliquer aux internes autour d'elle, comme si elle comptait sur la poésie — d'étoiles, de fleuves et d'éternité contrôlés — de Donne, sur ses paradoxes métaphysiques, son interrogation de ce qu'il y avait de plus élevé dans l'expérience humaine, pour se protéger, éloigner le mal, ne pas perdre la parfaite conscience d'elle-même que leur étude lui avait permis d'atteindre. Mais elle devait finir par admettre qu'aucune abstraction, aucune méditation sur l'âme, aucun jeu verbal ne tenait face à la souffrance qui la cassait bientôt d'un coup, la faisait plonger sous la couverture où elle grelottait d'effroi, la

rendait pareille — quand, si haute, maigre et déso-
rientée, elle essayait d'aller, pour la dernière fois, vers
l'autre bout de la chambre en trimbalant son pied à
perfusion — à un échassier irradié, privé de ses
antennes, qui errait dans une fin déserte et condamnée de campus ; la réduisait, dans le lit où elle ne bougeait plus, à une main presque insensible que Susie,
l'infirmière qui l'aimait, massait longtemps avec de
l'huile d'amandes douces, à des gémissements de plus
en plus faibles, à une mince parcelle de conscience,
lorsqu'elle entendait à peine Mme Ashford, son ancien professeur de poésie métaphysique qui, après
avoir traversé la ville sous la neige, venait s'asseoir,
dans son manteau brun, sur le lit, tout à côté d'elle,
ouvrait simplement un livre pour enfants et lui racontait l'histoire du petit lapin fugueur qui voulait s'enfuir de sa maison : il avait beau espérer se transformer en truite dans une rivière, en oiseau sur un
arbre, sa maman lui disait qu'elle le rattraperait toujours, avant de la regarder s'endormir, de partir en
souhaitant que les anges musiciens viennent la chercher et accompagnent son envol.

On ne voyait plus le ciel ; les dernières colonnes
disparaissaient derrière nous ; elle levait la main vers
la vitre pleine de pluie en murmurant, comme si elle
avait tout deviné, de ce que j'avais vu, de ce que je
pensais : « À mes pleurs que jaillisse un céleste léthé
/ Pour qu'y sombrent mes fautes et leur noir appa-

rat », ces vers du neuvième sonnet sacré, qu'elle avait
mis en exergue de son avant-dernier roman et qu'elle
reprenait souvent comme pour s'en protéger.

Il suffisait d'une rafale du métro aérien pour l'étourdir, la faire chavirer, là, sur le trottoir de la rue du Delta. Elle ne voyait pas le signe d'amitié que lui adressait Hermann, depuis le seuil d'Indus Valley où, lorsqu'elle dînait, seule, très tôt, avant huit heures, elle se donnait, oubliée et sereine — à peine lui chuchotait-il quelques mots en la servant —, dans les lueurs des lampes de raphia doré, sous les ciels de bois bleu où les déesses peintes, rendues plus secrètes et bienveillantes par l'ombre de la pluie, ne semblaient veiller que sur elle, l'impression d'être, un soir de mousson, dans la salle déserte d'une ville de l'Inde du Sud où tout le monde, autour, se serait mis à l'abri en silence sous les toiles et les ponts. Je la portais presque dans mes bras pour monter l'escalier, la soutenais jusqu'au grand fauteuil du salon où elle ramenait instinctivement, serrait contre sa poitrine, ses mains revenant toujours vers l'étoile brodée au milieu, le coussin de laine qu'elle ne lâchait jamais, même quand elle s'endormait : ses yeux se fermaient si vite maintenant, elle perdait, de soir en soir, un quart d'heure puis une demi-heure des films qu'elle voulait revoir au magnétoscope — les dernières œuvres de Pedro Almodóvar, *La Fleur de mon secret*, surtout, avec Marisa Paredes, qu'elle aimait comme une sœur madrilène, et les sept films avec Jeanne Moreau, pour lesquels on lui avait donné « carte blanche », au Vox, en novembre. Elle écoutait, de très loin, les messages au répondeur. C'était d'abord la voix, faussement alerte, de Roger qui, en rentrant dans son petit appartement de la rue du Cherche-Midi, avait dû déposer sur la table tous les manuscrits que contenait son cartable ; il viendrait, dans les prochains jours, lui demander son avis sur l'un d'eux — comme si rien n'avait changé, qu'ils allaient se concerter pour en parler ensemble au prochain comité. « J'ai encore besoin de vous, ma petite Élisabeth », lui disait-il. Claire l'appelait, un peu ivre, d'une brasserie de la porte Dorée : elle gardait son châle, qu'elle avait, bien sûr, oublié, le lui ramènerait dès demain matin, à huit heures, lui disait-elle avec une exactitude nerveuse comme quand elle lui précisait l'heure à laquelle elle viendrait la chercher pour partir vers une signature ou un salon. Puis c'était Charles Edeline, le conseiller culturel d'Ukraine, qu'elle avait jadis rencontré chez Vénus — ils avaient dû s'entendre pour lui offrir cette occasion de voyage, même aléatoire — : il lui proposait de venir faire deux ou trois conférences — « ce sera léger, très léger », reprenait-il — à Odessa, puis en Crimée dans le courant de l'hiver. « La neige sur la mer Noire », disait-elle doucement comme si elle voyait les flocons descendre vers les rives de pins, de palais et les remparts des arsenaux secrets.

Elle aurait aimé que tout s'estompât, qu'il n'y eût plus rien, après. Mais c'était déjà la voix très vive, presque claironnante, de sa mère qui lui demandait — « on viendrait la chercher s'il le fallait » — si elle pouvait assister, dimanche, à la réception qu'elle donnait, comme chaque année, dans sa maison, en même temps que les fêtes du jumelage écossais d'Aubigny. Elle l'imaginait descendre les marches du perron, telle une reine de province, dans son tailleur Laroche dégriffé, suivie par ses amies Marie-France et Marguerite Rateau, et déclarer — si on s'inquiétait de son absence — face aux invités alignés dans le jardin, devant les bleus ou l'or des chrysanthèmes, superbe dans la pitié rayonnante et orgueilleuse, la maîtrise de l'évanouissement, la volonté de prouver qu'elle était capable de répliquer, avec la même dignité souriante, à n'importe quel coup du sort, le visage impassible, parcouru par quelques larmes commandées brillant au soleil sous l'héroïsme neigeux de son chignon : « Ah ! si ma pauvre Élisabeth était là ! » (cette « pauvre Élisabeth » dont elle oubliait qu'elle la rabrouait chaque fois qu'elle venait la voir : et d'ailleurs, malgré sa crânerie impudique et les défis qu'elle avait toujours lancés dans ses livres et dans sa vie, elle s'ingéniait inconsciemment, en cassant, par exemple, un bibelot avec une sorte d'étourderie prévue, de maladresse concertée, à fournir le prétexte à un flot de reproches disproportionnés, apitoyés ou méprisants qu'elle fuyait en se réfugiant dans sa chambre à l'étage, où elle noyait dans l'alcool, qui commençait pourtant à lui être interdit, l'indignation qu'elle savait vaine contre sa propre docilité, les mots de révolte qu'elle n'avait pas osé crier et qu'elle balbutiait entre deux gorgées de whisky, sans parvenir à les transcrire — car ses velléités d'écriture étaient, à leur tour, anesthésiées — dans le carnet qu'elle avait à portée de la main).

« Me casse pas... je suis ce que j'ai » : elle murmurait, comme chaque fois qu'elle avait très mal, là, sur le balcon où elle m'avait demandé de la porter, cette phrase de Réjean Ducharme qu'elle avait entendue, un soir d'avril, à Québec, et qui l'apaisait toujours. Elle la disait, déjà très fatiguée, assise dans la pénombre du salon vide de l'hôtel Frontenac, en regardant la neige tomber sur les canons et les lampadaires de la Terrasse des Gouverneurs, alors que s'éloignait sur le Saint-Laurent le *Louis-Joliette* illuminé — le bateau de la croisière littéraire à laquelle elle n'avait pas voulu participer et où étaient montés, en chantant, emportés par les vagues d'euphorie triste de fin de colloque, « le vin, les œillets, la rose » (cette chanson que chantait Gaston Miron, en tournant sur lui-même au milieu du café du Monde et en s'accompagnant de son harmonica dont il tirait des sons d'une nostalgie rauque, amère et éraillée), les hommes et les femmes qui, s'enlaçant parfois à la sauvette dans l'ombre des ponts, essayaient de maintenir des illusions de liaisons, des leurres d'aventures sentimentales qui s'achèveraient le lendemain — au moment de rejoindre, chacun, un comptoir d'embarquement — par une adresse griffonnée sur un coin de dossier et des promesses de retrouvailles d'autant plus éperdues et enthousiastes qu'ils les savaient, par avance, irréalisables. Elle le disait, ce « me casse pas... je suis ce que j'ai », pour Driss qu'elle aimait bien, à côté duquel elle s'était retrouvée sur tant d'estrades de congrès, et qui, les yeux brûlés d'avoir marché sous la neige depuis le Ballon Rouge, ou d'autres cafés de la rue Sainte-Catherine, traversait, là-bas, les plaines d'Abraham en manquant glisser, à chaque pas, sur les plaques de lichen givré, les mains fiévreuses, brandies en avant, comme pour les étreindre, vers les fûts glacés et nus des érables qu'il confondait peut-être, dans son ivresse, avec les palmiers, en hiver, de son village du sud algérien, qu'il ne quittait que pour des invitations à des colloques — accompagnées par des séjours dans les hôtels de luxe et des réceptions dans les ambassades — qui ne lui laissaient finalement

qu'une impression de féerie amère, de revanche arti-
ficielle qu'il prenait parfois sur la pauvreté de ses ori-
gines. Il paraissait encore plus perdu que l'après-midi
où, face à deux journalistes d'une télévision locale,
il avançait sous la pluie glacée qui noyait la Terrasse
des Gouverneurs avec la tristesse implacable de quelqu'un qui savait qu'il était en train de se renier lui-
même depuis que son goût de l'exhibition l'emportait sur le calme sacré de l'écriture, la déclamation
excessive et désespérée d'un bonimenteur condamné
à brader, en fin de foire, ses souvenirs défraîchis, tandis que, à chaque rafale de vent, il avait des frétille-
ments gauches, des bondissements à la fois égarés,
lourds et avides, vers la perche du cameraman, dont
on aurait cru, à distance, qu'il voulait la happer, tel
un dauphin vieilli qui n'arrivait plus vraiment à exé-
cuter le numéro aquatique où il triomphait jadis. « Me
casse pas... je suis ce que j'ai », elle le disait aussi pour
Luc Ferland qui errait, au bord des salons éteints,
avec, dépassant de la poche de sa veste, les feuillets
de son intervention (un hommage à Ignace Trem-
blay, le plus grand poète, à ses yeux, du siècle, qui
représentait pour lui une sorte de père sublime, dont
il aurait rêvé d'obtenir l'adoubement et envers lequel
il éprouvait cette abnégation émue, cette déférence
bouleversée dont seuls sont capables ceux qui, même
si leur tour est venu d'exercer un ascendant, ont
besoin d'admirer jusqu'au bout de leur vie), ce texte
qu'il avait travaillé pendant des mois, dont il avait

prévu chaque intonation, qu'il avait commencé enfin à lire, un peu avant midi, concentré, éperdu, jusqu'à ce que le président de séance l'interrompît soudain, criant presque au micro qu'il avait déjà dépassé le temps, que tout le monde devait être fatigué d'écouter, avait hâte de partir. Il serait le dernier à se lever, à quitter la salle dans le brouhaha excité et indifférent de fin de session, marcherait seul, ensuite, à l'écart de tous les groupes, en descendant vers le quai, comme s'il voulait s'effacer dans l'ombre des triangles des oies cendrées qui volaient vers le cap Tourmente ; et puis il se mettrait à danser, après avoir beaucoup bu, au milieu du café du Monde, en chantonnant à son tour « le vin, les œillets, la rose » dans le cercle des tables presque vides, comme s'il voulait prouver par la royauté triste, la dignité nonchalante et la fierté lunaire de ses pas qu'il avait son territoire, son petit ciel à lui. Il s'abandonnait entre nous deux, après que nous l'avions vu sur le point de chanceler devant la porte du salon Rose, se laissait conduire dans les allées immenses, sombres et surchauffées, sous les fenêtres camouflées par les flocons, sans plus savoir s'il avançait dans les travées d'un hôtel, d'un paquebot endormi sous la neige, les couloirs du café du Monde ou ceux d'une chancellerie oubliée du Grand Nord. Dans l'obscurité de la chambre, où seul brillait, au plafond, le globe rouge de l'alarme-incendie, il promenait, étendu, sa main droite sur le drap comme s'il recherchait celle de sa femme malade qu'il regrettait d'avoir laissée seule dans leur maison de la baie des Chaleurs, d'avoir sacrifiée pour ces quelques jours de colloque qui ne lui laisseraient qu'un goût d'humiliation et de figuration amère dans une assemblée fantôme. « Me casse pas... je suis ce que j'ai » : elle semblait le scander par les petits coups qu'elle donnait dans la cloison de nos chambres respectives, ces notes plus ou moins espacées, résolues ou épuisées, auxquelles je répondais, avant d'écouter dans le silence de la nuit où passaient sur le Saint-Laurent les reflets d'un pétrolier des Balkans, les pas d'un enfant qui, plus hardi et libre que les autres, revenait très tard, sous la neige, d'une fête ou d'un anniversaire et dont nous imaginions, un instant, dans la douceur du foyer que nous nous inventions dans cette aile d'hôtel, comme si nous nous étions toujours aimés, qu'il était le nôtre et venait nous rejoindre pour nous embrasser ensemble.

Arrivant à peine à tenir tout contre sa poitrine le petit coussin et oubliant de reprendre pour elle-même ce « me casse pas... je suis ce que j'ai », elle regardait s'éteindre au loin les lampadaires du square d'Anvers, le kiosque de nuit, à l'angle du boulevard où, lorsqu'elle découvrait un article qu'on avait écrit sur un de ses livres, bouleversée par une formule qui la touchait au cœur, elle se détournait comme pour pleurer avant de dire au vendeur qui l'aimait que la photo l'avantageait beaucoup — « oui, vraiment beaucoup » —, elle qui n'avait presque plus de traits, maintenant, avait pour toute expression ce pauvre sourire, tremblant de tous les « mercis » à ceux qui l'avaient toujours aidée, soutenue et que j'étais seul à deviner, à entendre. Il y avait encore des reflets, comme s'ils montaient des livres exposés, dans la vitrine de la librairie où elle avait fait sa première signature, il y avait longtemps, un soir de décembre : alors que la libraire battait vainement le rappel sur le boulevard, en mettant l'absence de public sur le compte du vent glacé, d'une grève perlée des postes qui avait, sans doute, empêché les invitations d'arriver, trois personnes avaient fini par entrer : une femme qui, dans son manteau de fourrure, venait tuer une heure de temps entre une mise en plis chez son coiffeur et un rendez-vous du côté de la place Clichy ; un étudiant autrichien qui passait par là et voulait se perfectionner en français ; un vieil habitué de la librairie dont les mains se crispaient régulièrement sur une fiche horaire comme s'il avait peur de manquer le dernier train pour Étampes, où il habitait — ce trio frigorifié et perplexe qui l'avait écoutée présenter son roman et était reparti presque en silence. Le cercle s'était un peu élargi depuis, semblait-elle penser, et on aurait dit que se mettaient à tourner dans sa tête (comme les dimanches soir où elle revenait d'un salon du livre d'automne et, sortant de la gare, encore étourdie, peinait à me reconnaître derrière les vitres brouillées de Terminus Nord où je l'attendais) les images de ceux qu'elle avait vus défiler durant deux ou trois jours, dans les allées du chapiteau : ceux qui la regardaient de loin, entre deux épaules, avec une fascination gênée — ils l'avaient peut-être vue dans une émission de télévision, mais ils n'en étaient pas sûrs ; ceux qui s'approchaient pour, comme ils le lui disaient avec une pudeur intriguée, la « découvrir » avant de se retourner pour vérifier s'ils avaient encore assez de billets dans leur porte-monnaie pour prendre l'un de ses romans ; l'homme, si mince et petit, sous son chapeau de feutre gris, qui se penchait vers elle et lui disait, presque en chuchotant, qu'il la suivait depuis toujours, gardait tous ses livres (et elle ne cesserait de s'étonner de ces fidélités secrètes), aurait voulu qu'elle fût moins rare, publiât plus souvent : « À l'année prochaine, peut-être », lui disait-il en s'éloignant, avec un sourire à la fois amusé et sévère ; les enfants, dont elle ne voyait d'abord que les cheveux et les petites mains qui s'élevaient, se posaient au hasard sur les livres, qui, parfois, passaient de l'autre côté de la table, venaient, quelques secondes, tout près d'elle, et dont elle espérait qu'ils lui prendraient le stylo d'entre les doigts pour lui écrire un compliment, le début de cette lettre à maman qu'elle n'avait jamais eue ; et cette très ancienne amoureuse des livres qui, entre gratitude et détresse, extase et pleurs, s'agrippait au rebord de la table, lui disait que les livres remplaçaient tout, toujours, lui faisaient oublier ce qu'elle avait manqué : elle était la dernière à quitter le salon, à traverser le chapiteau déjà éteint, un peu inconsciente, vacillant de droite à gauche avec son cabas plein de romans, telle une voyageuse obligée de débarquer en plein rêve et qui laissait les livres alignés derrière elle dans la pénombre comme les passagers, devenus pareils, d'un train qui continuait à rouler dans la nuit.

Elle regardait décliner, à la fin de la rue du Delta, les lumières aux fenêtres de l'immeuble d'Arc-en-ciel, dont elle avait accepté d'être l'une des marraines. Elle aimait y retrouver ceux qui avaient une autre maladie qu'elle, mais auxquels la liait une fraternité de condamnés. Elle allait s'asseoir dans la pièce de « l'atelier-lecture », tapissée, en partie, des livres qu'elle avait offerts à l'Association. Parfois, un garçon s'approchait d'elle, lui demandait — harassé, intimidé et confiant — si elle voulait bien lui donner des conseils sur les pages qu'il était en train d'écrire. Elle l'entraînait vers le jardin d'Arc-en-ciel qui, avec ses palmiers nains, qu'on venait à peine de planter, son carré de sable ocre et le banc de bois blanc, où ils s'asseyaient côte à côte, dans l'ombre du soir qui tombait, prenait l'aspect d'une fin de parc de station balnéaire : elle lui donnait des avis tendres, s'abstenait — sachant trop ce que chaque phrase devait représenter de lutte contre la fièvre, la peur et la douleur — de changer, de retirer le moindre mot de son texte, lui ouvrait, au contraire, des pistes imaginaires, proposait d'autres épisodes, d'autres chemins, de nouvelles greffes à accomplir sur l'histoire centrale, pour lui offrir un but, une raison de poursuivre, de croire et de combattre dans les jours qu'il lui restait à vivre. Puis elle l'accompagnait vers l'église de chambre où il allumait une bougie parmi celles qui brillaient déjà sur le tabernacle de teck rosé, devant le grand panneau où étaient épinglées — se chevauchant parfois — les photographies de ceux qui venaient de mourir, qu'ils avaient aimés, qu'elle avait peut-être elle-même entrevus à l'époque où elle traversait à mon bras les bars du Marais. Elle n'osait pas — même si elle croyait parfois que cela l'aurait apaisée aussi — entrer dans l'atelier d'« autohypnose », qui devait amener la fin des tourments, conduire à une véritable « réconciliation avec soi-même » et où, dans la pénombre de la salle en bois de rose, ils essayaient d'envoûter la mort qui arrivait dans des litanies de formules d'envoûtement, que personne ne reprenait après eux — pareils à des magiciens qui, en bout de course et sans public, avaient décidé de s'endormir eux-mêmes, en emportant le secret des tours qu'ils ne pouvaient léguer à aucun disciple — ou bien, plus loin, dans la salle de nutrition où ils se récitaient les uns aux autres des programmes de diététique avec tant de foi, de désir de guérir et de renaître qu'ils semblaient, pareils à des pèlerins hâves et illuminés qui s'étaient arrêtés en bord de route, se communiquer des récits de miracles par lesquels ils espéraient, à leur tour, être atteints un jour.

« Tu prendras le relais ? » me demandait-elle. « Oui, si j'ai le temps. » Et puis, avec l'autorité malheureuse, la générosité inquiète de quelqu'un qui savait trop combien chaque minute était sacrée pour supporter qu'on s'employât à l'abîmer et voulait préserver chez les autres cette vie qui lui échappait, elle me disait : « Tu fais attention ? » Pas vraiment. Elle voyait que, depuis ma séparation d'avec Frédéric... (cela n'avait pris que quelques minutes : je l'avais attendu, toute la nuit, dans mon studio de l'Alma où il devait, comme d'habitude, venir me retrouver. Après que j'avais cherché mille fois à le joindre, il décrocha enfin vers cinq heures du matin, me dit très vite — après quelques mensonges qu'il ne se souciait même pas de rendre crédibles, une soi-disant promenade nocturne à travers Paris avec ses camarades de l'association « Mil e tre » — qu'il avait beaucoup changé « depuis Caen », l'opéra où il avait fait ses débuts de choriste dans *Les Troyens*, qu'il était en train de connaître un « grand bouleversement intérieur », qu'il ne ressentait plus aucune peur dans l'existence depuis qu'il était monté sur scène, qu'il n'avait plus besoin de quelqu'un à ses côtés, et c'était moi qui — après un silence qu'il ne maintenait que pour me laisser le soin de conclure — ajoutais « et donc plus besoin de moi... ». Je n'avais été au fond — pensais-je — qu'un père de comédie, un Pygmalion de saison, un imprésario étourdi à qui il avait pris à une époque ce qu'il lui avait fallu pour « ressourcer son énergie », se risquer sur les planches, trouver ainsi sa « vérité de vie », parallèlement, un degré en dessous, à Christine Malar, son nouveau professeur de chant qui, comme il l'affirmait de plus en plus haut, lui avait fait découvrir sa « vraie voix », lui avait permis, en veillant, non seulement sur le rythme de son souffle, mais sur la moindre note de ses plaisirs et de ses amours, de franchir, à chaque cours, un nouveau pas dans la révélation de lui-même. À peine avais-je eu le temps, avant qu'il ne raccrochât, de lui lancer, avec une légèreté mimée bien sûr, qu'il m'offrait, en partant, la possibilité de tout reconsidérer de ma vie : on se demandait quoi, à part la solitude. Je restais pendant des heures assis devant la table et la nappe rouge marquée par la cire des bougies mal éteintes du soir où Élisabeth était venue dîner, tenant, dans sa main encore tremblante d'avoir écrit toute la journée, un bouquet d'iris bleus et blancs pour lui, comme si elle avait voulu rattraper, ce jour-là, sa sévérité immédiate envers Frédéric, qu'elle avait jugé, quand elle l'avait rencontré, pour la première fois, au Wepler, comme un séducteur poupin, un don Juan novice et un peu joufflu qui, selon elle, répétait trop qu'il « avait toujours beaucoup donné » pour qu'elle ne fût pas aussitôt persuadée du contraire. Puis, oubliant ses préventions de départ, s'abandonnant à nouveau à son indulgence naturelle — qu'elle n'avait suspendue que par peur de me voir souffrir un jour — elle avait accepté de se laisser charmer par Frédéric, veillait à maintenir autour de nous un cercle de paix, à éloigner la moindre ombre de tourment ou de désaccord, en se donnant la vision d'un bonheur auquel elle ne songeait plus pour elle-même et dont elle pressentait qu'il lui était compté — comme cette nuit si chaude de juin où, après que nous avions fêté, au Petit Prince, le « *fa* dièse » qu'il avait réussi à atteindre, nous étions allés nous étendre, un peu ivres, sur la pelouse du Champ-de-Mars ; elle avait pris nos mains pour laisser circuler entre elle et nous cet amour, qu'il lui importait tant de ressentir encore, même par procuration, les yeux mi-clos dans la rumeur des ascenseurs illuminés de la tour Eiffel avant de détacher ses doigts, de se retirer doucement en arrière dans l'ombre des buissons, de glisser la main sous son chemisier et de se masser juste au-dessous du sein droit dans un rictus de douleur qu'elle tentait de rattraper, en comprenant que j'avais surpris son geste, par une série de petits sourires réguliers, disciplinés, déjà éteints)…, je collectionnais, dans une frénésie de compensation, la volonté, faussement grisée, de profiter d'une liberté qui m'était imposée et que, par orgueil, je présentais comme providentielle, les aventures. Avec de vieux couples, un peu usés, qui, d'emblée, m'annonçaient, rassurés et fiers, le nombre d'années depuis lesquelles ils vivaient ensemble (et ce chiffre, toujours, me serrait le cœur car je ne l'avais jamais atteint dans une relation et j'avais espéré au moins l'approcher avec Frédéric), à qui ce triolisme de passage, ce dévergondage calculé et parfois minuté — qui ne risquait pas d'altérer les sentiments qu'ils se portaient l'un à l'autre — permettait de stimuler un plaisir conjugal qui tendait à décliner ; qui trouvaient, dans l'image de bohème déglinguée et de solitude aux abois que je leur offrais, l'occasion de se conforter dans une existence simili-bourgeoise, à l'écart d'un monde de dérives et de nuits sulfureuses dont j'étais, auprès d'eux, le messager diabolisé et vers lequel ils lançaient des anathèmes d'autant plus fébriles et crispés qu'ils s'y étaient complu dans leur jeunesse et n'avaient plus l'âge d'y retourner. Des hommes mariés, venus de province, qui, dans leur affection gauche et concentrée, semblaient toujours infléchir, troubler celle qu'ils portaient d'ordinaire à leur fils ; ils paraissaient appréhender le moment où on leur demanderait leur numéro de téléphone, finissaient par laisser sur la table une carte professionnelle, en recommandant de se faire passer, si on appelait, pour le directeur d'une banque ou le représentant d'une firme voisine, avant de regagner leurs hôtels au cas où on les préviendrait, au petit matin, de l'insolation ou de l'angine soudaine d'un enfant. Les demi-gigolos, en bout de circuit, que je croisais, en rentrant tard, sur l'avenue de Bouvines, qui me consentaient des étreintes en solde de fin de nuit, fermaient les yeux, serraient les dents pour ne pas perdre le peu d'excitation qui leur restait, savaient aussi jouer la comédie des sentiments, distiller, pour quelques billets de plus, des mots à la tendresse opérationnelle et judicieuse qui, après m'avoir apaisé une heure ou deux, ne faisaient que ranimer en moi la nostalgie d'une liaison. Les garçons, un peu égarés, en fin d'ecstasy, que je rencontrais sur le trottoir des dancings, que j'accompagnais dans leur voyage de retour vers l'ombre des boulevards avec leurs visages d'anges glacés qui blêmissaient à mesure que s'éteignait leur illumination intérieure, qui me racontaient, à toute allure, des histoires d'amour si embrouillées qu'ils finissaient par s'y perdre eux-mêmes et ne plus savoir qui ils aimaient ; le plus beau, peut-être, avait été le jeune Danois qui m'avait embrassé soudain dans l'ombre d'un renfoncement de magasin de la rue Réaumur et qui, après, assis à mes côtés sous l'auvent d'un arrêt d'autobus, avait voulu me prouver à quel miracle conduisait l'ecstasy : « Tu vois... il n'y a plus de différence entre les corps, on dirait que les cœurs sont soudés, que c'est la même peau », disait-il en appuyant très fort sa paume ouverte contre la mienne, comme s'il voulait ajuster nos lignes de chance, avant de me lancer : « Ne meurs pas avant d'être vivant », depuis la fenêtre de l'autobus de nuit qui l'emportait et dont j'avais espéré, jusqu'au bout, qu'il oublierait de le prendre.

Elle se souvenait, en voyant apparaître les lumières du Café Bleu, du soir où elle avait cru voir de loin François, le jeune pianiste du New Morning, qu'elle aimait alors — qui tenait presque enlacée, sur une banquette du fond, la jeune femme, dont il lui avait pourtant assuré, avec une véhémence gaie, qu'elle était une simple groupie, un peu allumée, de l'orchestre, la nuit où elle avait déjà cru voir leurs mains s'unir dans l'ombre des coulisses du cabaret. Elle était restée là, à longer les vitres embuées du Café Bleu puis le hall et les guichets éteints du New Morning comme une revendeuse hagarde de billets qui ne s'apercevait même pas qu'ils étaient périmés, dataient d'une autre saison, avant de partir vers la porte Saint-Denis qui, au loin, n'était plus à ses yeux qu'un élément de décor, monumental, miné et oppressant, au bout d'un plateau de scène immense et noir. Elle regrettait tant aujourd'hui — et elle aurait voulu sourire, si elle en avait eu la force, de ses dérives et hallucinations passées — de s'être ainsi éloignée du Café Bleu, en se promettant de ne plus revoir François, d'avoir succombé à l'un de ses accès d'exigence panique, de renoncement affolé et orgueilleux, d'avoir provoqué des adieux que la vie, même, n'exigeait pas, en abîmant en quelques minutes ce qui lui restait de jeunesse et d'occasion de bonheur.

« Tu ne réinventeras pas tout ? me disait-elle, comme je l'ai fait si souvent. » Elle s'en voulait encore d'avoir accusé François de l'avoir fait souffrir alors que c'était elle-même qui — emportée par son pessimisme grisé, son ivresse de noir et ce tragique voluptueux dont elle avait fait la matière de ses livres, par ce vertige de rancune tournante et de liens vite abandonnés — l'avait exilé aux frontières de son existence, n'approfondissant la distance que pour pouvoir écrire un jour sur lui. Et lorsque, quelques mois plus tard, elle avait cherché à le revoir une nuit d'été où tout était ouvert au Café Bleu, cela n'avait été que pour vérifier sa façon de sourire, de continuer à pianoter, à improviser de ses doigts si minces, presque enfantins, sur le rebord de la table, d'agiter sa grande mèche blonde au gré de ses emportements de musicien sincère, emballé par la vie et sans tourment inventé, qui l'avait sans doute aimée plus que ce qu'elle avait jamais imaginé et qui — au moment où elle s'était levée, assez vite, comme en retard de roman, sous le bleu des lampes amoindri par la chaleur — l'avait regardée avec l'immense tristesse de sentir qu'il n'était plus pour elle que l'ombre d'un modèle qu'elle n'avait fait revenir que pour apporter une dernière retouche au personnage qu'elle achevait de composer.

Elle regardait s'éteindre les lumières du café, à l'angle de la rue d'Hauteville, où Mehdi avait l'habitude d'aller parce que les sandwiches y étaient les moins chers de tout le quartier. Mehdi que nous avions, l'un après l'autre, hébergé, aimé (l'avions-nous seulement étreint ? nous nous en souvenions à peine : peut-être simplement un soir d'ivresse nous avait-il saisis, avec une nervosité tendre, dans l'obscurité du hall, soudain impatient de nous donner — par reconnaissance, besoin de chaleur, peur d'être rendu à la rue s'il n'offrait pas suffisamment de gages — un plaisir que, déjà comblés par ses multiples sourires de fugitif ébloui, nous avions fini par oublier de lui demander). Elle avait été bouleversée quand elle l'avait croisé pour la première fois, sur le trottoir de la rue du Delta, les épaules maigres, courbées par les déménagements d'« amis » ou de connaissances qu'il avait aidé à faire dans l'espoir que, pour le récompenser, on l'hébergerait pendant les deux ou trois jours que prendrait l'installation et même un peu après : il déposait les meubles dans les pièces avec une sorte de sûreté, de circonspection tendre comme s'il avait prévu leur emplacement exact en imaginant la douceur d'un foyer dont il deviendrait l'invité permanent. Si on lui faisait comprendre que non, ce n'était pas possible, il avait un demi-sourire de dépit fatigué puis s'écriait, avec une fierté panique, que ce n'était pas grave, que, de toute manière, il attendait un studio pour le premier du mois et qu'il se débrouillerait pour faire la jonction. Mais lorsque, au contraire, on lui proposait de prendre, pour quelque temps, la pièce du fond, qu'on ne savait comment employer pour le moment et dont il s'empressait de ranger le capharnaüm pour la métamorphoser en une chambre princière, il rayonnait. Elle, elle lui avait proposé de dormir dans le lit d'appoint où, des soirs entiers, après avoir parcouru les revues de motos que lui avaient prêtées ses camarades du Scorpion, il la regardait écrire, dans l'ombre, sans bouger, pour ne pas la troubler (il lui lançait simplement, quand il voyait la lampe briller encore vers trois ou quatre heures du matin : « Tu as demain... demain encore... »), ne s'approchait que les nuits où il la sentait épuisée, vaincue, sur le point de tout abandonner, venait alors souffler sur ses épaules, prenait, au hasard, un des feuillets, lui disait que, même s'il ne les comprenait pas toujours, ses phrases lui donnaient envie de danser, espérant souvent — sans le lui avouer — voir apparaître son propre nom, devenir le sujet d'une petite histoire de côté, qui ne risquait pas de nuire à l'harmonie de l'ensemble.

S'il restait plus de deux ou trois semaines à la file, avant de s'éclipser à nouveau, il s'engageait à lui faire un beau cadeau, à l'inviter chez Le Doyen ou à La Tour d'Argent (ces noms qu'il avait glanés auprès d'hommes ou de femmes qui l'avaient fait passer en voiture au large des restaurants illuminés, en lui promettant de l'y emmener un jour — gardant ainsi d'avance les billets qu'ils pourraient se dispenser de lui donner après sa prestation) dès qu'il aurait récupéré le fameux million, qu'il avait jadis prêté à un ami qui, disait-il, l'avait trahi, avait disparu dans la nature, qu'il recherchait en vain depuis des mois, comme si la vie était devenue pour lui une série de marathons crispés, à la reconquête d'un trophée qui — quitte à oublier le moment où il avait, lui-même, omis de passer le relais ou renversé, d'un coup d'épaule, un adversaire qui le gênait — devait, coûte que coûte, lui revenir. Ce fameux million qui l'aurait sauvé, lui qui devait se contenter d'« allocations », dont nous feignions d'ignorer d'où elles venaient, et qui, par orgueil et préférant accuser la fatalité, ne cessait de raconter que, s'il était aussi démuni, c'était parce que le matin où il avait rempli le dossier pour les Assedic il avait coché par erreur, étourderie, ignorance, la case « démission » au lieu de celle de « licenciement », après s'être séparé de son associé du salon de coiffure qu'il avait, avant, rue Gramont — affirmait-il avec le besoin obsessionnel de prouver qu'ils avaient été, un jour, à leur propre compte, de ceux qui avaient dû le plus se soumettre à un bon vouloir patronal, avaient été longtemps menacés ou humiliés. Et pour lui montrer sa bonne foi, il allait lui prendre les poignets quand elle s'arrêtait d'écrire, l'entraînait vers le fauteuil, devant la glace, commençait à la peigner avec une virtuosité un peu appuyée, une adresse un peu démonstrative, puis il se mettait à composer, comme s'il les enchaînait l'une à l'autre, participait à un concours très rapide où il lui fallait témoigner d'une capacité d'invention instantanée, de nouvelles coupes, sortait la bombe de laque de la poche de son blouson, où il la gardait en permanence comme une arme de survie, l'asphyxiait sous les nuages acides, l'étourdissait en débitant à toute allure des noms de baumes revitalisants, dont elle avait certainement besoin, disait-il, en voyant les premières mèches se faner, se casser, s'en aller, jusqu'au moment où elle lui demandait à quelle hauteur de la rue Gramont — par où elle passait souvent pour se rendre à la Maison — se trouvait son ancien salon. Il abaissait soudain le peigne, perdu dans les nuages de laque qui se dissipaient comme s'il n'arrivait plus à démêler ce qu'il avait inventé ou vécu. Alors, il restait à l'écart comme un tout jeune apprenti à qui on viendrait de reprocher sa précipitation, son excès de zèle ou sa maladresse, et qui n'osait pas bouger à l'instant où tout allait s'éteindre dans le salon, tendu par l'appréhension qu'on ne lui demandât pas de revenir le lendemain. Et c'était elle qui, en se levant, en prenant le peigne, l'invitait à s'asseoir à son tour dans le fauteuil, devant la glace, soufflait sur ses premiers cheveux blancs, lui montrait comment conduire quelqu'un qui, comme lui, inclinait la nuque, à s'abandonner tout à fait, à oublier toutes les fatigues et les déménagements de la vie et, accompagnant ses beaux mensonges de ses doigts qui glissaient sur ses tempes, l'aidait à imaginer que ce salon de nuit, qui ne fermait jamais, lui appartenait, qu'elle était sa nouvelle associée qui commençait à l'aimer et qui, même s'il ne retrouvait pas son million, ne le lâcherait jamais. Et là, devant moi, elle glissait inconsciemment les doigts sous les bords de sa perruque comme si elle voulait retrouver le souvenir de la douceur brune et ondulée de ses cheveux perdus, qu'il avait été le seul, même s'il s'embrouillait, à connaître vraiment. « Tu crois qu'il reviendra un jour ? » disait-elle doucement.

« Il est là, tu sais... » Il attendait en bas, sur le trottoir désert, avec son intuition impeccable et pudique. Il regardait la courbe de la rue, dans le noir, avec une concentration triste de marathonien qui, revenant, seul, en pleine nuit, dans un stade vide, essayait, au bord de la piste cendrée, de détecter l'erreur qu'il avait commise, de repérer à quel moment il avait eu cette baisse de tension, de régime qui lui avait fait perdre la course. Il avait beaucoup maigri, ses cheveux étaient coupés très court. Il portait le blouson qu'elle lui avait offert en mars pour son anniversaire, qu'ils avaient choisi ensemble chez Delaveine, à l'angle du boulevard des Italiens, et dont il aimait écarter les pans de cuir devant ses camarades à l'entrée du Scorpion pour leur montrer qu'il était bien doublé, de bonne facture, qu'elle ne s'était pas moquée de lui. Il se tournait vers les dernières lumières du boulevard, s'éloignait un peu, semblait sur le point de renoncer à monter — il était si tard. C'était moi qui descendais vers lui. Il ne semblait pas surpris de me voir : il devait, depuis longtemps déjà, suivre nos silhouettes, là-haut, sur le balcon. Il m'entraînait contre lui, en me demandant si j'avais quelqu'un dans ma vie, en ce moment, me regardait avec son air dévoué, humble et malin, pour me faire comprendre qu'il serait là, toujours — même si ce n'était que pour dormir ensemble. Et puis, soudain excité, il me racontait très vite qu'il avait fini par récupérer le million, dont il nous parlait toujours, par retrouver l'homme, le « collègue » en question, qu'il l'avait aperçu, un soir, à Nice, devant l'immense cheminée illuminée d'un bateau qui occupait tout l'horizon d'une rue ; il l'avait poursuivi sur les quais du vieux port, au début de la baie des Anges, ne l'avait rattrapé que sur le chemin du château ; il l'aurait tué s'il ne lui avait pas rendu l'argent tout de suite. Et il lançait ses poings dans le vide, en se penchant de plus en plus en avant, comme s'il voulait pousser l'autre vers l'abîme. Mais il ne faisait que se perdre, tel un boxeur étouffé, dans la nuée de feuilles rouges qu'il venait d'arracher à l'arbre au passage. Il ne lui avait pas fallu beaucoup de temps pour tout dépenser, ajoutait-il plus doucement, dans les machines à sous du Ruhl, des casinos de Menton ou de Monte-Carlo, dans les bons restaurants, les plus belles boîtes de la côte — à la Siesta, surtout, où il avait offert des tournées de champagne à des tas de gens qu'il ne revoyait même pas à la fin de la nuit.

Il s'était retrouvé sans rien, ou presque ; il avait dû ramer dans tout le Midi ; c'était si dur, là-bas. Mais on lui proposait de se refaire en lui offrant de s'associer avec lui pour monter un salon de coiffure sur le cours de Vincennes ; il était tombé sur quelqu'un de bien, de solide, qui ne le lâcherait pas comme la dernière fois. Il savait maintenant où habiter. Il aurait, à partir du premier du mois, un grand studio au dernier étage d'une tour de la place d'Italie. Il y avait beaucoup de lumière, Élisabeth pourrait venir y travailler, ça la changerait — elle qui ne partait jamais — de la rue du Delta ; elle aurait tout le ciel devant elle pour écrire, le calme comme au paradis. Il touchait dans la poche intérieure de son blouson l'un des petits feuillets qu'elle lui avait donnés — un peu froissé, un peu jauni depuis — et qu'il s'était toujours promis de faire encadrer, d'accrocher au milieu de son appartement pour que tout le monde le vît en entrant dès qu'il aurait un toit à lui. Je ne savais pas si elle pourrait se déplacer, elle n'allait pas bien — lui disais-je. Son front se plissait juste un peu : « Elle n'a pas terminé son roman ? c'est ça ? Elle est en retard... ? » Il croyait qu'elle avait juste une crise de fatigue, de découragement physique, de doute absolu qui la saisissait avant la fin, quand il la voyait endormie de détresse sous la lampe — comme si toutes les pages qu'elle avait écrites pendant des mois et des mois venaient de s'effacer, qu'elle n'avait plus aucune preuve de ce qu'elle avait réalisé devant le juge qui s'approchait. Non, c'était plus grave, elle était très malade, elle était condamnée, ajoutais-je presque brutalement. On aurait dit qu'une lame descendait du ciel, tranchait la nuit et le haut des arbres, venait lui frôler le cœur. Il devenait très pâle, ses cernes étaient immenses, soudain ; il inclinait la tête, murmurait qu'il avait eu un pressentiment en voyant, depuis la gare d'Austerlitz, sur toutes les colonnes, cette actrice très maigre, au crâne rasé, et encerclée de gris, qui avait l'allure d'Élisabeth. Il n'était jamais là au bon moment, disait-il presque en pleurant. Il aurait dû lui donner des nouvelles de là où il était, cela l'aurait protégée, lui aurait « évité le malheur », mais il se mordait aussitôt les lèvres comme pour s'excuser de l'importance qu'il se donnait. Il pouvait monter ? bien sûr. Je lui prenais la main, qui n'était plus si douce, qui était maintenant pleine de cals, de petites blessures qui n'étaient pas encore tout à fait refermées : peut-être avait-il saisi les angles de meubles trop lourds au cours d'un énième déménagement auquel il avait participé et qui n'avait été suivi d'aucune promesse d'hébergement. Il disait, de marche en marche, « j'ai la scoumoune » — ce mot qui revenait de si loin, que maman reprenait quand, de retour du marché de nuit, avec son cabas plein, elle découvrait, en arrivant sur le palier, une nèfle gâtée, noircie au milieu des fruits, ou une nouvelle lézarde au plafond, la pluie de plâtre qui recouvrait la moitié du hall — comme si nous avions été les seuls du quartier à être touchés par un séisme secret, que la vengeance du ciel nous était réservée.

Tout était sombre, en entrant. Elle avait éteint la lampe, au bout du couloir, pour qu'il ne la vît pas s'approcher et ne remarquât pas tout de suite combien elle avait changé. Elle s'arrêtait près du lit d'appoint en passant la main sur le rebord de bois pour le rassurer, lui montrer que — même s'il avait trouvé un palais entre-temps — il pourrait revenir y dormir, quand il le voudrait : on ne savait jamais comment les nuits tournaient. Il s'étonnait de cette nouvelle coiffure, de cette teinte, trop brillante et cuivrée, qu'elle n'aurait jamais osé avoir à une époque. Il commençait à caresser les mèches de devant, mais elles étaient dures, bougeaient à peine entre ses doigts et il comprenait qu'elle ne servirait plus à rien, cette bombe de laque qu'il gardait en permanence dans la poche de son blouson comme si le monde était un salon de coiffure idéal et qu'il suffisait de projeter un nuage de laque pour emporter tous les soucis du monde. Il vacillait un peu, pour s'accorder à elle, disait que, depuis quelque temps, il avait des vertiges, très souvent mal à la tête. Et c'était elle qui, s'oubliant une fois de plus elle-même, ne pensant qu'à comprendre, aimer et protéger, levait la main, cherchait sa nuque dans l'ombre, amenait son front vers le haut de ses seins, où il restait sans bouger, comme un enfant qui lui demandait de lui pardonner de revenir sans rien, de ne pas pouvoir l'inviter, un soir de cet hiver, à La Tour d'Argent ou chez Le Doyen.

Il y avait simplement trop de questions dans sa tête, semblait-elle penser, comme si elle refaisait son voyage — ç'aurait pu être un autre roman si elle en avait eu le temps —, rejoignait son histoire, de solutions à trouver pour survivre après le million à nouveau perdu, ne pas être à la rue, de soirées passées à attendre, sous les jetées et les matelots peints du Zanzibar, qu'on l'aperçût, qu'on vînt lui proposer une bière, à dîner peut-être, trop de sourires tendus, suppliants pour mériter de rester sur son tabouret au fond du bar, répondre aux regards de méfiance envers sa peau d'étranger, sa chemise et ses yeux déjà usés, de vies qu'il inventait à toute allure si jamais quelqu'un venait enfin vers lui, de détails imaginés sur des maisons, des villes, des pays qu'il aurait connus, pour se donner un peu d'importance, être presque à la hauteur de celui qui, rassuré, aurait pu lui prendre la main, la retenir dans la pénombre rouge ; de paniques, de départs soudains quand on était sur le point d'éclaircir les mensonges dans lesquels il commençait à se perdre, d'avenues vides où, sous les couronnes des lampions de fêtes balnéaires, personne ne songeait à le rattraper pour lui dire que ce n'était pas la peine de fabuler, qu'on le prenait tel quel, sans se soucier d'où il venait, trop de journées passées aux abords de la gare, pas loin du casier de la consigne où il n'avait pas assez de pièces pour récupérer ses petites affaires, trop de lumières qui apparaissaient à la fois — c'était déjà la nuit — là-bas, sur les quais, de trains pour Amsterdam, Hanovre ou Naples, vers lesquels il s'élançait et où il renonçait à monter au dernier moment, par peur d'être pris sans argent ni billet, de minutes comptées jusqu'à ce que fermât la salle d'attente, dans le seul écho des déclics des panneaux de départs qu'on changeait déjà pour le lendemain ; trop de rues à parcourir à nouveau jusqu'à la mer, qui ne sauvait jamais de rien ; de moments hébétés où il ne savait plus de quel côté était la frontière, le port ou l'Esterel ; de rondes de police à éviter même s'il n'avait rien à se reprocher — sauf, peut-être, cette bombe de laque, ce lot de peignes inégaux qu'il avait raflés en passant, très vite, au rayon d'un Monoprix de la côte —, de faux abris dans les saunas de nuit jusqu'à cinq heures, où on le faisait descendre brusquement de la banquette, asphyxié par la moiteur âcre de vieux compartiments de bois sous les Tropiques, sans qu'il se rappelât vraiment si quelqu'un l'avait étreint pendant la nuit, lui avait glissé par hasard un ou deux billets dans la poche de son pantalon suspendu tout près, et qui garderait longtemps, même en plein soleil, une odeur de vieilles éponges, de détergent sommaire et

171

de pagnes trempés ; trop de petits matins à cheminer ensuite à travers le vieux Nice, pâle, ébloui et sans but comme un prisonnier tout juste libéré qui ne croyait pas encore à sa remise de peine, manquait tomber dans les îlots d'œillets du marché aux fleurs, s'écartait à temps des terrasses des cafés pour ne pas entendre les demi-insultes qu'on lui lançait, qu'il laissait se confondre avec les claquements des parasols que l'on ouvrait, de chagrin de ne pas se sentir « de France », comme il le voulait, en recherchant un autre trottoir où il n'aurait rien à redouter ; d'attentes aux portes du Hansburger où il comptait sur l'indulgence d'un serveur pour avoir un peu plus de frites ; où, même après qu'il avait terminé, il restait penché sur le cornet fini, en regrettant peut-être, telle une fantaisie, un luxe d'un autre temps, les bons sandwiches du café de la rue d'Hauteville, trop d'espérance de pièces perdues, qu'il aurait découvertes sous les chaises en fer bleu de la Promenade des Anglais ; de femmes matinales qui arrivaient sous leurs turbans épinglés du bout de la baie des Anges, dont il aurait pu garder les chiens blancs qu'elles étouffaient sur leurs poitrines disparues, qui, raides, peintes, sans forme ni regard, passaient devant lui comme des statues manquées de carnaval qu'on laissait défiler à l'écart, à une heure sans public, et qui, de dos, n'étaient plus que des ombres de chair trimbalées par une fin de mistral ; trop de petites larmes qu'il avait, assis sur un banc, sous l'un des kiosques vides, d'où il regardait les bateaux encore éclairés qui sortaient du vieux port, s'en allaient pour des croisières en Méditerranée où il rêvait qu'on l'emmènerait un jour ; trop de Tunisies qui s'effaçaient, et où il n'avait plus envie de retourner, de lettres jamais envoyées, de retours glorieux au pays, qu'il s'était même lassé d'imaginer ; de liens perdus avec des frères dispersés, ou vite rompus avec des aînés de rencontre qui voulaient l'enrôler dans leurs clans et leurs prières, l'entraîner vers les prêches assassins qui détruisaient pour lui, à tout jamais, le silence bleu des mosquées ; trop de feuilles à ramasser dans les jardins ou à la surface des piscines des villas des vieux messieurs de l'arrière-pays qui le prenaient une semaine ou deux pour remplacer celui qu'ils avaient choisi pour les aider à mourir et qui était descendu se distraire sur la côte ; trop de tracts publicitaires pour de nouveaux magasins ou des salons de coiffure rénovés qu'il distribuait, certains soirs, aux carrefours ou au bord de la Corniche ; de plateaux qu'il n'arrivait plus à tenir dès qu'il y avait du monde dans les cafés-tabacs des faubourgs les plus lointains ; de vestiaires de clubs incertains où il s'embrouillait dans les tickets dès le troisième manteau tendu ; de torches enflammées qu'il devait, sans avoir rien vu de la fête, retourner, éteindre dans le sable à la fin des galas sur les plages privées ; trop d'extras qu'on lui réglait mal sous les reproches qu'il avait depuis longtemps prévus, et qu'il se hâtait de dépenser dans les tournées générales qu'il offrait à tous ceux qu'il jugeait moins chanceux, plus malheureux que lui. Il y avait tant de cœur sous sa chemisette de quatre sous, complètement mouillée.

S'il avait si mal à la tête, disait-il en se détachant très lentement de sa poitrine, c'était parce qu'il avait travaillé, un moment, dans une usine de l'arrière-pays, où il avait respiré des produits très toxiques, transporté des fûts dangereux ; on ne l'avait pas prévenu, il aurait dû porter un masque ; il comprenait maintenant pourquoi on l'avait embauché, même si, au départ, il n'était pas qualifié, même s'il n'arrivait pas toujours à soulever les blocs de cire d'abeilles d'Éthiopie, à les casser en deux ou trois morceaux pour les faire entrer dans les machines qui les transformaient en nappes de miel. S'il était resté, il aurait eu le droit d'entrer, de travailler un jour dans les ateliers des « grands absolus ».

« Ils étaient comment, ces grands absolus ? » lui demandait-elle très doucement ; c'était (même si elle n'écoutait jamais longtemps les précisions techniques qui auraient pu l'entraver) la vieille curiosité qui revenait en elle, le désir d'écrire, tous ces frissons, ces larmes intérieures qui la traversaient à nouveau, l'emportaient, tant bien que mal, vers la table, la lampe qu'il éclairait déjà devant elle, la faisaient se pencher vers le feuillet de côté et, malgré la douleur qui atteignait maintenant le poignet, commencer (après le mouvement presque énervé qu'elle avait toujours, comme pour commander un cercle minimum de silence autour d'elle) à écrire, à rêver autour de ces « grands absolus » qui avaient une couleur de vieille Afrique, de ciels couverts d'abeilles qui se ramenaient à une rivière brune et dorée, de secret infusé, d'extrait unique ajouté en fin de parcours, de vie dépassée, de dernière région où les âmes défilaient sans se soucier d'être choisies ou pardonnées.

Ces mots, c'était tout ce qu'il pouvait lui donner. Ils comptaient plus pour elle — il le savait — que tous les millions, tous les remèdes. Il reboutonnait son blouson, en vérifiant si l'ancien feuillet était bien là, à droite, dans la poche intérieure ; il allait se remettre à courir à travers Paris, d'est en ouest, de Clichy à la porte de Vanves pour voler au hasard des boulevards, des gares, des dancings ou des cafés qui fermaient, d'autres idées, d'autres expressions qu'il lui ramènerait pour lui donner envie de rester près de la lampe, de vivre encore un peu.

Il me laissait seul, ici, dans le couloir aussi obscur et calme que celui d'une usine éteinte où quelque chose continuait à flamber dans une salle isolée devant une ouvrière très vaillante, chargée de contrôler l'état de fusion d'une matière et qui ne se souciait plus qu'on prît sa relève, ou non, au petit matin.

J'étais gagné par sa tranquillité, son courage, sa volonté de tenir jusqu'au bout du voyage. Je n'avais plus peur de l'enveloppe médicale qui m'attendait sur la table de mon appartement de l'impasse du Bureau, avec, sans doute, les mauvais résultats qui avaient commencé — c'était déjà une invasion de globules blancs — par la prise de sang qu'on m'avait faite en urgence, le soir du 14 juillet, où j'avais eu autant de fièvre — les lueurs, dans le ciel, du petit feu d'artifice de quartier me brûlaient les yeux — que la nuit d'août, dans la chambre de l'hôtel d'Addis-Abeba d'où je voyais, entre deux injections de chloramphénicol, agrandis, multipliés par les reflets des lampes-tempête, les blocs de cire d'abeille venant des forêts de Gondar ou des monts de Debre Libanos, posés, très sombres, à peine recouverts de bâches, à l'entrée du grand entrepôt, au bord du marché d'où montait une odeur de peaux tannées, de camphre, de toges trempées, de lèpre dissoute, de boue et d'or soudé, de tentes abattues et d'enfants endormis, emportés par la pluie.

La vie s'éloignait, il ne me resterait bientôt que le souvenir de quelques livres — des lieux, surtout, où je les avais écrits ; de quelques voyages qui, le plus souvent accordés par les Affaires étrangères, avaient, presque tous, correspondu à des désirs d'enfant, des noms rêvés sur des livres de géographie ; de quelques amours, qui émergeaient à peine des années d'attentes, de dancings et de nuits blanches ; de cartons sans cesse défaits, d'un quai, d'un bateau plein de gens qui pleuraient, d'une longue route pâle dans une plaine d'Algérie, d'une villa d'administrateur qui venait de s'éteindre au milieu des blés après le départ des derniers officiels, d'une voix qui répétait, depuis le balcon d'un village : « Où tu es ? Où tu es ? » dans la nuit encore brûlante de septembre, de la lampe de l'échoppe du vieil épicier qui, retiré derrière les sacs de semoule et de grains de sésame, aurait été à peine étonné de me revoir et, prêt à m'offrir à nouveau un cahier de brouillon, détournant les yeux de la carte murale où Paris et les contours de la France achevaient de s'effacer sous la poussière de sirocco, aurait été le seul à ne pas me demander ce qui s'était passé là-bas.

« C'est fini, je crois », disait-elle. Elle abandonnait le stylo, caressait sur la table la petite pyramide de marbre, le boîtier pour ses bagues, le socle de la lampe noire où était appuyée la carte du « génie aux fleurs » qui continuait à la protéger, les régions de bois, plus pâle et usé où, pendant tant d'années, ses mains s'étaient posées et crispées, puis les feuillets alignés qu'elle aimait traverser de lignes portant, chacune, dans le ciel blanc, en haut de la page, un mot qui était, chaque fois, un peu de son cœur, de sa vie qui s'en allait. C'était à moi, maintenant, de les classer, de les rassembler en une dernière liasse (et il me faudrait des jours pour déchiffrer son écriture si fine, ses lettres minuscules), d'apporter le manuscrit à Bernard qui choisirait lui-même le caractère — le garamond ou le new baskerville —, disposerait, réglerait les blancs — comme s'il l'entendait respirer de loin, tentait de retrouver le rythme de son souffle — avant que cela ne devînt des épreuves que Claire emporterait, un soir, sur sa poitrine, en courant vers la porte Dorée, puis un livre, qu'elle ne verrait peut-être pas exposé, sous la série des grands atlas, dans la vitrine de la librairie Delamain, dont, un soir de septembre, s'approcherait quelqu'un qui, venant de traverser sous la pluie la place Colette, serait content — lui qui la suivait depuis toujours — de découvrir parmi tous les titres de la rentrée un nouveau livre d'elle, qu'il se promettait de lire dès le lendemain. Elle restait là, penchée, sans pouvoir pleurer, vers les feuillets comme pour leur demander pardon de les abandonner déjà, de n'avoir plus rien à leur donner, à leur sacrifier. Il lui semblait (et elle frémissait tout entière, comme pour les ressaisir, ne pas les laisser s'enfuir) qu'ils venaient vers elle, du fond du silence de la rue du Delta, tous ses personnages, cette petite troupe ahurie, chavirée et triste, pareille à celle d'une croisière déjà finie, qui allait se séparer après une dernière photo de groupe sur un quai et qui paraissait lui dire de loin : « Tout est passé si vite. » Elle n'avait pas le temps de dire adieu à chacun d'eux, d'évoquer un dernier souvenir d'escale, de ville traversée à toute allure ou de long arrêt sur un promontoire ensoleillé où ils lui avaient raconté une part de leur histoire, de recueillir la dernière confidence, le dernier secret d'enfance qui lui aurait permis de mieux les comprendre, mieux les aimer. Et elle ne pouvait pas, tel le guide d'une saison, désemparé devant le bateau qu'on armait déjà pour un autre voyage, leur promettre de les réunir à nouveau dans un roman qui, elle le savait depuis toujours, était la seule manière de donner rendez-vous à la fois à tous ceux qu'on avait aimés. Je l'éloignais lentement, comme elle le faisait elle-même en écartant son fauteuil au bout de la nuit pour surplomber, embrasser le panorama de signes brouillés par la fatigue, la distance et la retombée de la ferveur. Je la soulevais, elle frôlait, en passant — comme quand, quelques jours avant de partir, elle repérait ce qui serait emporté en priorité par la camionnette d'Allô-Fret où, s'installant à l'avant, à côté du chauffeur, elle disait, presque fière de cette bohème qu'elle avait dans le sang : « Tu crois que je vais rester longtemps, cette fois ? » —, le tableau de la *Fuite à Varennes*, où une berline, aux rideaux descendus, roulait dans une plaine rose et mauve sous les ors assourdis d'un ciel de faible éclipse, de fin d'émeute ; les Pléiade alignés sur le côté droit de la bibliothèque ; les livres des auteurs qu'elle avait accompagnés ; le dessin du torse à peine distinct

— seule apparaissait vraiment la boucle défaite d'un ceinturon — d'un homme qui semblait émerger de l'ombre d'une chambre ou d'un corridor ; l'aquarelle d'Amalfi en Automne ; le vase bleu de Provence posé sur l'ancien pupitre d'écolier, sur lequel elle avait écrit un temps, et dont elle avait fini, tant il tremblait, par retirer les pieds, par transformer en une sorte de coffre qui abritait pêle-mêle des prospectus d'agences de voyages pour des circuits semi-organisés qu'elle ne ferait, bien sûr, jamais ; des photos prises pour les sorties de ses livres (où elle avait le même petit sourire traqué, presque frigorifié malgré le beau temps, dans les allées ou sous les arbres des Tuileries, comme si elle avait peur de se donner en spectacle, d'attirer l'attention des promeneurs par les flashes qu'elle croyait entendre crépiter et qu'elle aurait voulu éteindre à mesure) ; des ébauches de conférences, des pages jamais revues, des chutes de romans (vers lesquelles elle ne revenait jamais, qu'elle ne songeait même pas à intégrer, un jour, dans un autre livre : c'était des scènes, des sensations périmées, une autre partie de sa vie, voilà tout) ; les lettres accumulées de lecteurs, qu'elle se promettait toujours de classer, ou d'amis que, ces derniers mois, elle avait peu à peu abandonnés, ne répondant plus à leurs messages comme si elle voulait, à force de silence, s'effacer déjà, n'être plus à leurs yeux qu'un souvenir.

Je l'emmenais vers la chambre — aussi légère et mouillée de fièvre qu'une fillette restée seule sous un chapiteau éteint qui se serait déchiré sous la pluie. Les volets n'étaient pas fermés ; la nuit était si sombre ; il n'y avait qu'une lueur au loin — celle de l'atelier d'autohypnose, au dernier étage de l'immeuble d'Arc-en-ciel où quelqu'un, ayant peur de rentrer, de mourir seul dans son appartement, s'était peut-être laissé enfermer pour ne plus se voir, s'oublier lui-même. Il y avait, posée dans un coin, sous le petit ours de Québec qu'un peu de vent balançait, la valise rouge clair, qu'elle ne prendrait plus pour retourner à la clinique du Belvédère — prête à signer le formulaire de « consentement informé ». Je la faisais glisser vers le lit, qu'elle semblait ne plus distinguer, comme une passagère inconsciente, transbahutée clandestinement, de nuit, dans un canot dont elle ignorait la destination. Elle me demandait de lui retirer la perruque qui lui pesait, qui la brûlait — il y avait encore dans sa tête tout le feu des « grands absolus » qu'elle avait imaginés — et qui reposait maintenant à côté comme le souvenir d'un rôle, d'une comédie pour les autres. Je découvrais son crâne nu, plus sombre, bruni par endroits, pareil à celui d'un bonze qui aurait heurté la terre à plusieurs reprises. J'allumais les bougies autour d'elle ; elle aimait — comme les soirs de succès ou d'anniversaire — cette offrande de lumière, penser à ces enfants qui, au Népal, la tête enveloppée dans de la gaze, portaient sans bouger, pendant des jours, des coupelles pleines de flammes afin de remercier les dieux de les avoir sauvés d'une maladie, d'une inondation ou d'une mauvaise récolte. Je posais sur sa poitrine le coussin brodé pour contenir, empêcher de se perdre les battements de son cœur, mais ses mains qui montaient dans la laine n'arrivaient pas jusqu'à la petite étoile. Je prenais la seringue dans la table de chevet, dégrafais la manche de son chemisier, la relevais très lentement pour qu'elle eût, comme au commencement de la nuit au Mirage, une sensation de détente, d'abandon, de soie et de dimanche qui glissait sur sa peau. Je cherchais un peu de bleu, l'ombre d'une veine sur son bras maigre et gris, lui faisais cette piqûre (je l'avais fait pour d'autres, sauf pour maman : je savais maintenant) qui en précéderait bien d'autres jusqu'à la dernière qui l'aiderait à passer « de l'autre côté du delta », comme nous en avions plaisanté, sans y croire vraiment alors, un soir d'été, sur le pont d'une vedette de l'Alma, où elle avait eu son premier vertige. Je prenais sa main gauche, collais sa paume contre la mienne pour ajuster — ainsi que me l'avait appris le jeune Danois sous l'abri des Grands Boulevards où il attendait le dernier autobus de nuit — nos lignes de chance, jusqu'à ce qu'il n'y ait plus de différence entre les peaux, que les corps paraissent soudés, que les cœurs se rejoignent. Elle avait déjà le visage si tranquille, le regard étonné, de me voir étendu à ses côtés comme si, pour la première fois,

182

faute de place, nous devions dormir ensemble dans l'hôtel bondé d'une ville étrangère, où je ne savais jamais si elle venait chercher le début d'un roman, l'oubli d'un amour ou la nuance qui lui manquait pour évoquer le ciel d'un matin d'adieu.

Composition Graphic Hainaut.
Achevé d'imprimer
sur Roto-Page
par l'Imprimerie Floch
à Mayenne, le 27 octobre 2003.
Dépôt légal : octobre 2003.
1ᵉʳ dépôt légal : juillet 2003.
Numéro d'imprimeur : 58513.
ISBN 2-07-074290-3 / Imprimé en France.